「社会調査」のウソ

リサーチ・リテラシーのすすめ

谷岡一郎

文春新書

110

「社会調査」のウソ／目次

序章　豊かさ指標はなぜ失敗したか　7
「ゴミ」は「ゴミ」を呼ぶ　7　「豊かさ指標」はなぜ失敗したか　14

第1章　「社会調査」はゴミがいっぱい　23
学者が生み出すゴミ　24　政府・官公庁が生み出すゴミ　28
社会運動グループが生み出すゴミ　39　マスコミが生み出すゴミ　49

第2章　調査とマスコミ――ずさんなデータが記事になる理由　57

垂れ流されるゴミ 57　記事のための調査 68
印象操作のテクニック 77　チェック機関の必要性 86

第3章　研究者と調査　93
華麗なる学者の世界 93　ノーデータ、ノーペーパー 97
データを公開できぬわけ 103　学者の論文を格付けしよう 114

第4章　さまざまな「バイアス(偏向)」　119
人は忘れる、ウソをつく 119　「モデル構築」はバイアスの巣 124
見せかけの相関 131　リサーチ・デザインとは何か 141
視聴率の落とし穴 149　あくどい誘導的質問 158
サンプリングにおけるバイアス 174

第5章　リサーチ・リテラシーのすすめ　191

リサーチ・リテラシー教育の必要性　191　社会調査を減らすには　194
あなたのリサーチ・リテラシーをテストする　200

あとがき　217

主要参考文献　221

【調査・検証プロセスと本書に登場する「バイアス」】

	調査・検証プロセス	本書に登場する「バイアス」
モデル構築プロセス（何を知りたいのか）	過去の研究・経験・ひらめき	◇過去の「事実」の誤認◇思い込み／人生哲学
	〔トピックの決定〕	
	〔理論・仮説の決定〕 因果モデル／検証条件／実行仮説	◇逆の因果◇隠れた変数◇スプリアス効果◇疑似相関（見せかけの相関）◇妥当性の問題（インデックス）◇信頼性の問題
	〔リサーチ・デザイン作成〕	
検証プロセス（どうやって知るか）	タイム・フレーム	◇シーズナル・バイアス◇メモリー効果◇ドラマタイジング効果◇トランスレイション・バイアス◇異なる条件下の比較◇成熟化◇パネル劣化
	データ収集方法	◇主観測定／器具・ノウハウ◇低回収率に伴うバイアス◇匿名性バイアス（プライヴァシー）◇ウソと忘却◇インタビューアー効果（ワンウェイ効果5種／相互的効果4種）◇インストゥルメンタル・ディケイ
	質問票	◇ワーディング（あいまいさ／誘導的質問／二重質問）◇選択肢（中間効果／ぼやかし／チョイス数／強制的選択／相互排他性／相互補完性／カッティング・ポイント）◇レイアウト（キャリーオーバー効果／学習）
	サンプリング	◇数が少なすぎる◇母集団不明◇比較不能サンプル◇非代表性◇不回答バイアス
	集計／分析	◇後づけ論理（アポステリオリ）◇単純計算のミス
公表	〔公表／プレゼンテーション〕	◇追試不能性（データ非公開）◇不正（捏造と剽窃）◇センセーショナルな見出し◇印象操作（言葉／視覚）◇スポンサーと倫理

序章　豊かさ指標はなぜ失敗したか

「ゴミ」は「ゴミ」を呼ぶ

この本は少々過激な内容である。多くの社会調査が実名で批判されており、その数は五十以上にのぼる。ちなみに実名で批判した人々には、反論があればお答えすることを約束する。そして筆者に非があれば謝罪する。ただし反論は文章でお願いしたい。また一般のマスメディアに反論を載せるときは、反反論のスペースを（少なくとも反論スペースの半分以上）お願いしておきたい。

もう一度お断りしておくが、過激な内容につき、ずさんな調査（すなわち「ゴミ」）をまき散らしている人々のうち、血圧の高い人は読まない方が無難である。

それではまず、本書の体裁を示すための例題をお見せする。次に掲げる記事をよく読んで、この調査のどこが悪いのかを考えてみていただきたい（最低でも三十秒は考えてください）。

《「一番人気はカーター氏／歴代大統領／米紙が調査」

【ロサンゼルス4日＝共同】四人の前、元米大統領のうち一番人気があるのはカーター氏で、在職中に高人気を維持し続けたレーガン前大統領は〝並〟に転落――。米紙ロサンゼルス・タイムズが四日発表した世論調査でこんな結果が出た。／九月下旬、全米で千六百人を対象に行ったこの調査では、健在の四人の前、元大統領のうちだれを支持するか、という質問に対し、三五％がカーター氏、二三％がレーガン氏、二〇％がニクソン氏、一〇％がフォード氏と答えた。／この結果について「カーター氏は人道的な政策が評価できる」「レーガン氏は貧しい人のためには何もせず、多くのホームレス（浮浪者）を生む原因となった」といった回答者の見方を紹介している。》（「朝日新聞」一九九一年十一月六日）

どこがおかしいか、わかりますか。ヒント。これは一九九一年（ブッシュ大統領時代）の時点で生存していた過去四人の大統領（ニクソン、フォード、カーター、レーガン）の人気投票を行った結果です。

解答。四人の前・元大統領のうち、カーターだけが民主党で、残りの三人は共和党である。仮に大衆の四割が共和党、四割が民主党、二割が無党派（その他）であったとすると、共和党支持者の票は割れるが、民主党支持者にはカーターしか選択肢が存在しない。カーターがこの調査で一位になることは、最初から明らかだった。

このように特定の選択肢が上位にくるような恣意的な質問の作り方を、専門用語で「forced choice（強制的選択）」と呼んでいる。

こうした「ゴミ」は一回だけで終われば、さして問題はない。ところが迷惑なことに、ゴミは次々と引用されることで、他のゴミを生み出すことがある。このヘンな調査が他のメディアにいかなる影響を与えたかについては第2章で述べる。

本書では、新聞その他のメディアの記事や主張をしばしば引用するが、場合によっては質問形式や、単なる例示にとどまることもある。ほんのわずかではあるが、誉めるために引用される記事もある。

本書の論点は、次の五点に要約できる。

①世の中のいわゆる「社会調査」は過半数がゴミである。

②始末が悪いことに、ゴミは（引用されたり参考にされたりして）新たなゴミを生み、さらに増殖を続ける。

③ゴミが作られる理由はいろいろあり、調査のすべてのプロセスにわたる（いろいろと例示するつもりである）。
④ゴミを作らないための正しい方法論を学ぶ。
⑤ゴミを見分ける方法（リサーチ・リテラシー／research literacy）を学ぶ。

第1章では、「誰が」社会調査という名のゴミをまき散らしているのか、という問題を取り上げる。「学者（および学者予備軍）」「政府・官公庁」「社会運動グループ」「マスコミ」の四グループに登場してもらい、例を挙げながらその実態に迫る。

この四つのグループのうち特に社会に大きな影響を与えるものとして、「マスコミ」と「学者（研究者）」について、第2章と第3章でより深く述べる。そこでは、これらの人々は「なぜ」ゴミをまき散らすのか、という問題が主題となる。

第4章では、リサーチの各プロセスにおける「過ち」を二十種類以上、解説する。これは将来のゴミを作らないための方法論でもある。バラエティに富んだ例がいくつも登場する。

アンケートなどの社会調査は、世の中の実態や人々の意見を把握することを目的とする。しかし、これら社会調査の結果には、不可避的に現実の社会からの「ズレ」が存在する。この「ズレ」のことを専門用語で「バイアス（bias＝偏向）」と呼んでいるが、社会調査論や科学方法論とは、このバイアスを可能な限り縮小し、「事実」とは何かを客観的に認識していく、研究者間で正しいとされる確立されたプロセスのことにほかならない。

ただし本書ではこの「バイアス」に対し、逆向きのアプローチをとる。なるべく多くの例によって種々のバイアスを認識してもらい、類似の過ちを避けるのに役立ててもらおうというアプローチである。

本書に登場する「バイアス」の種類（もしくは「バイアス」の発生原因）は、巻頭の図に示しておいたように、社会調査の検証プロセスの始めから終わりまでのすべてにわたる。

第5章では、ゴミを見分ける方法として「リサーチ・リテラシー」の必要性を訴えると同時に、あなたのリサーチ・リテラシーをテストする問題を三問用意してある。先にこのテストをやってみて三問とも正解だった人は、この本を読む必要はないはずである。

以上が大ざっぱな内容であるが、まずは最初の例として、本書を書くきっかけとなった事例を紹介しよう。

一九九八年五月、いわゆるサッカーくじ（サッカートトカルチョ）法案が審議されていた頃、参考人として委員会に召喚された六人（筆者もその一人）の中に、二十万人の会員を擁する「新日本婦人の会」副会長の高田公子がいた。

この女性が、与えられた十五分間に読み上げた宣言文は（今から考えるとまあそんなものかとも思えるのだが、当時の筆者は国会の場はもう少し知的なところだと考えていたせいもあって）

驚きの連続であった。幼稚な内容の宣言文のすべてを紹介するスペースはないが、次のくだりに注目していただきたい。

〈この二月二十日、地婦連、主婦連、日青協、私たち新婦人も入っている国民文化会議など、かつてない広範な十三団体が、『「サッカーくじ」法案に反対する共同アピール』を発表——資料を参照ください。その後、一緒に議員の方々への要請行動やアンケート、宣伝にも取り組んできました。四月二十一日は、渋谷で道行く三百十四名の方々と対話をし、一言書いていただきました。子供たちの犯罪がふえている中で、スポーツ賭博とは考えられない、子供にギャンブルをあおってどうするの、政治家の利益が必ず絡んでくる、サッカーくじよりもほかに大事なことがあるんじゃない、その前に国会を解散して、胴元は儲かったお金を何に使うの、サッカー大好き、売り物にしないでなどの声がたくさん寄せられました。サッカーくじ反対が七七%、賛成二〇%、どちらとも言えないが三%で、国民世論としてもサッカーくじは認められていないのです。〉（高田公子による参考人意見より。傍点筆者）

六人の参考人が意見を述べたあと、各党の代表者が六人の中の任意の者（何人でもかまわない）に質問する機会があった。ところが、政治的思惑もあったのだろうが、この参考人の宣言文の内容についての質問はほとんどなかった。

しかし、その後、メディアに、この宣言文と同じ論調のサッカーくじ反対の記事が数多く見られたことを思うと、かりに議員は騙されなかったとしても、少なくともメディア内には、国会という場で発せられた言論に騙される（あるいはわかっていて悪用する）人間がいたということであろう。

　前述の宣言文の抜粋部分について、「確定」という競艇の同人誌に私の気持ちをかなり正確に代弁してくれている文章が載っていたので、それを紹介する。

〈街頭で「サッカーくじ反対」などと書かれたタスキをかけたような人の「対話」に応じてくれるのはそもそも似たような意見を持っている人が多いという可能性は無視されている。わたしのような、新日本婦人の会みたいなものは不潔だから道端で対話するのもいかがなものかと思う人間は、そもそもこういうのからは脱兎のごとく逃げてしまうのである。それに「対話」の結果どうも釈然としないがもう早く帰りたいから「はい」と言っておこう、という人が「反対派」に数えられている危険も大であろう。〉（「確定」一九九九年十一月号。傍点筆者）

　こういう文章を読むと、世の中、まだまだ捨てたものではないなと思う。ちゃんとした思考力を持った人もいるのである。問題は、徒党を組めばどんな幼稚な意見でも宣言文として国会で発表されるのに、まともな考えを持っていても、個人、しかも全国区の発表媒体を持たない者の意見は空中分解してしまうシステムであろう。

　この新日本婦人の会の方々は、常々「育成途上の若者を害毒から守れ」と言いつつ、自分たちが垂れ流す害毒（こうした間違ったやり方の調査がいかに害毒となるかは次章以下で説明する）が、いかに育成途上の若者（その他）に悪い影響を与えているかは考えていないようである。むろん新日本婦人の会の人々だけでなく、このたぐいの輩《やから》は星の数ほどいる。あまりに稚拙な論が世にまき散らされないよう、本書では具体的な提案をいくつか用意している。

「豊かさ指標」はなぜ失敗したか

経済企画庁は一九九九年、毎年五月頃に発表していた「豊かさ指標（正式には『新国民生活指標』だが、以後、通称を使う）」の発表を、今回は見合わせる決定をした。例年、下位にランクされる県からの反論に、対抗できなくなったからである。

ではこの「豊かさ指標」は、同じように批判の対象となってきたにもかかわらず現在も存続する「知能指数（ＩＱ）」や、そもそもほとんど批判の対象となっていない「物価指数」などと、どこがどう異なっていたのであろうか。

「指数（index）」とは、抽象的で数量化しにくい概念を、客観的手法で近似的に数量化した数値のことである。社会科学の分野では、抽象的な概念（例えば「失業率」「明るい性格」「保守的」「社会的地位」など）を数字で表わす必要性が生ずる。その場合、伝統的、統一的に使われていた方法があるなら、特に問題がない限り、それを採用することが多い。ところが、例えば

「失業率」などは客観的で決まりきっているように思えるが、実は国によって算出方法が違うため、国際間の比較は難しい。また時代の変化とともに、これまでの算出方法が役に立たなくなるケースも数多くある。

よく「指標（indicator）」と「指数」とが混同されることがあるが、指標というのはまだ数量化できていない段階における、指数の構成概念にすぎない。わかりやすく言えば、指標を数量化したものが指数である。また複数の指数を使って別の指数を作ることもありうる。従って「豊かさ指標」というのは、各都道府県の点数や平均が数量化され、ランキングまで発表されている以上、実際には「指標」ではなく、実質上の「指数」だと言える。

では指数の例として、指数としては定評のある消費者物価指数（平成七年度）を見てみよう。一七ページの図は、消費者物価指数を決定する大項目（指標）とその配分点数である。

専門用語で「ウェイト（weight）」と呼ばれる配分点数は、一般（平均）家庭の消費額により決定される。それぞれの大項目はその構成概念である一連の指標に分けられ、それぞれの項目は次の下部構成概念へと進む。そして、すべての項目は消費額によりウェイトが決定されていくのである。

図では、大項目の一つである「食料」の下部の枝分かれを追ってみた。ここで注意してもらいたいのは、大項目さえ決まれば、あとは自動的に決定されていくというほど話は単純ではないことである。例えば「消費者物価」とは、いかなる店の値段か、どの時点で計測するかなど、指標を指数に直すだけでも、さらに細々《こまごま》とした定義が必要となる。

この定義を「実行定義（operational definition）」と呼ぶが、条件として重要なのは、客観的に決定しうるということである。客観的というのは、わかりやすく言えば、その定義に従って計算すれば、誰がやっても同じ結果となるということである。

「豊かさ指標」は、消費者物価指数と似たやり方で作られる。一九ページの図が、そのやり方である。

では、この指標群による「豊かさ」指数のどこに問題点があるのだろうか。どう考えても数量化された「指数」であるのに「指標」と呼ぶのにも無理があるが、それ以外に、問題点は次の二つある。

(a)指標に妥当性（validity）がない（指標の下部構成概念と上部概念とが一致しない）。

(b)ウェイトを無視している（重要性を一律に論じている）。

最初の「妥当性」とは、指標などの上部概念と下部（構成）概念とが一致しているかどうかの条件をさす。例えば「食料」の指数を作るにあたって、その指数が「キャビア一〇〇グラム」と「シャンパン一本」の値段の平均で計算されたとすると、それは一般家庭の消費性向となんの関係もなく、この指標には「妥当性がない」状態であると表現される。

【平成7年度　基準（消費者物価）指数用品目（およびウェイト）】

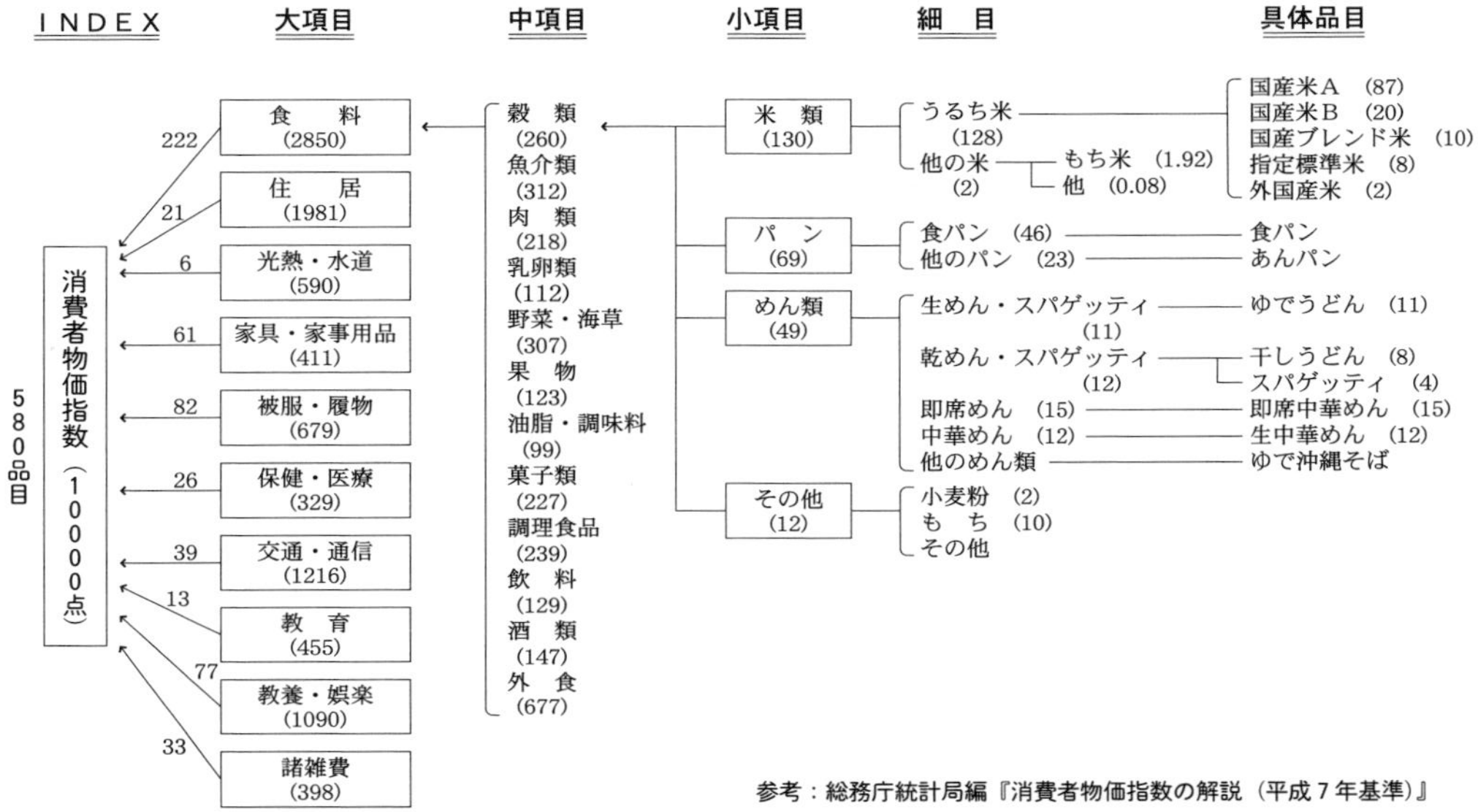

参考：総務庁統計局編『消費者物価指数の解説（平成7年基準）』

キャビアがいくら値上がりしようと物価に響かないのは、多くの人が買う商品ではないからである。ミルクが少し値上がりした場合の方がはるかに物価に対し影響が出るだろう。つまり妥当性とは、その指標（および指数）は「測りたいことを測れているか」という問題に帰する。

妥当性という点から「豊かさ指標」を考えると、まず「下部の八大項目（「豊かさ指標」を作るための直接の「指標」）」イコール「豊かさの構成要素」であることが条件となる。わかりやすく言えば、「豊かさ」と「八大項目（およびその下部構成項目）」の間に、お互いに必要十分なイコールの関係がなくてはならない。ところが、そうした観点から豊かさ指標を見ると、豊かさと何の関係があるのか、と思われる項目が少なからず目につく。

「豊かさ指標」については、埼玉県知事が反論している。カラオケ店がたくさんあればなぜ豊かなのか。図書館の数というが、それをいうなら、むしろ蔵書数をいうべきではないか。なぜなら、人口比では図書館の数は少ないかもしれないが、埼玉県の図書館は（イナカ県とは違い）多くの人が利用できる交通至便の場所に設置されており、利用時間も長いので、より文化的な状態（つまり「豊か」）と言えるはずだ——なるほどと思うことばかりである。

そもそも経済企画庁が「豊かさ指標」を始めた当初は、八項目でなく三項目のみ（「住む」「働く」「楽しむ」の三つで、「豊かさ」といいながら経済的な項目はほとんどなかった）を直接の下部構成指標としていた。そのうち、これも「豊かさ」に関係あるのではとか、これは二つ以

【豊かさ指標（都道府県別）作成用項目一覧】

大項目	項目
住む	◇借家の１畳当たり実質家賃◇持ち家比率◇公害苦情受理件数◇重要刑法犯罪認知件数◇交通事故発生件数◇ごみ衛生処理率◇日照時間５時間以上住宅比率◇１人当たり畳数◇最寄りの交通機関◇１人当たり公園面積◇１人当たりごみ排出量◇通勤通学平均時間など23項目
費やす	◇１人当たり家計所得◇貯蓄年収比◇個人破産件数◇消費者危害情報割合◇生活保護世帯割合◇消費者物価地域差指数◇サービス支出割合◇外食支出割合◇コンビニエンス･ストア数◇耐久消費財支出割合など15項目
働く	◇実質賃金（男女平均）◇失業率◇転職率◇高校生の県外への就職率◇男女合計家事時間◇中高齢者就職率◇男女賃金格差◇男女失業率格差◇有効求人倍率◇30～34歳の女性労働力率◇実労働時間数◇通勤時間◇平均月間出勤日数など22項目
育てる	◇乳児死亡率（出生数比）◇教員１人当たり児童・生徒数◇高等学校等への進学率◇少年犯罪検挙人員（少年人口比）◇０～１歳児保育所在所者数◇児童福祉施設数◇高等学校数（15～17歳人口比）◇教育費への支出割合◇青少年教育施設数◇児童・生徒１人当たり校地面積など17項目
癒す	◇平均余命（０歳、65歳平均）◇入院患者率◇成人病死亡率◇保健医療費への支出割合◇一般病院病床数◇救急告示病院数◇医師数◇精神薄弱者援護施設定員数◇老人保健施設数◇有料老人ホーム定員数◇老人ホームヘルプサービス利用状況（65歳以上人口比）◇ショートステイ利用状況（65歳以上人口比）など20項目
遊ぶ	◇観光目的の出国日本人数◇教養娯楽費への支出割合◇スポーツ施設数◇常設映画館数◇カラオケボックス室数◇飲食店数◇公園・遊園地数◇ホテル・旅館客室数◇趣味・娯楽の週平均時間◇自然公園面積比など15項目
学ぶ	◇大学入学者数／進学希望高校生数◇定時制高校数（15歳以上人口比）◇大学院進学率◇留学者数（15歳以上人口比）◇上級学校学生数（人口比）◇書籍・雑誌小売店数◇書籍等への支出割合◇成人一般学級受講者数◇図書館数◇図書借出者数◇博物館数など15項目
交わる	◇離婚率◇未婚率◇高齢者の子供との近住率◇交際費への支出割合◇老人クラブ加入率◇献血者数◇公民館数◇パソコン通信ネット局数◇１人当たり選択可能情報量◇地域情報化指標など16項目

（各大項目 → 豊かさ）

注１：すべての数値は日本全体の平均値を50とし、標準偏差を10とした標準化指数。
注２：都道府県比較に用いられていない項目は入っていない。

〈経済企画庁国民生活局編『新国民生活指標』1998年より〉

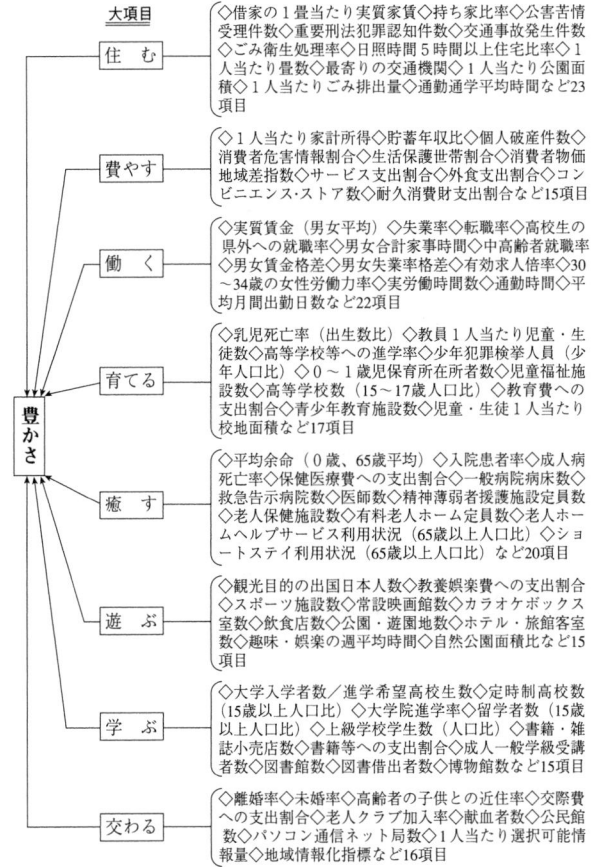

上の項目に分けた方がよいのでは、といった思惑でも働いたのか、いつの間にか今の形になったようである。「豊かさ」の要素といってもいろいろある。それをなんとか八つの次元に分けて指標を作ろうとした努力は高く評価するが、そもそも、あれもこれもと項目を増やしていく方法論そのものに問題がある。

このような指標は、あれもこれも入れさえすればよいというものではなく、まず「豊かさ」とは何かという哲学があって、それに従って指標が作られるべきである。このような思考過程を「演繹的（deductive）」なプロセス（第3章参照）と呼んでいるが、豊かさ指標にはこのプロセスが欠けている。

次に(b)のウェイトについて述べる。いろいろな下部構成項目をあれもこれもと加えているうちに、たぶん収拾がつかなくなったのだろう、豊かさ指標の八項目には、前に見た消費者物価指数の大項目のようなウェイトが存在しない。「人それぞれによって重要視する項目は異なりますから、あえて重要度にウェイトをつけませんでした」などというのは単なる言い訳で、批判を避けるのが目的であろう。人それぞれによって違うのであれば、わざわざ都道府県のランキングなど作って発表すべきではない。というよりも、人それぞれで違うなら、そもそも指数にならない。考えてもみてもらいたい。例えば不快指数は［0・81×気温＋0・01×湿度×（0・99×気温－14・3）＋46・3］で表わされるが、「私は湿度は不快ですが気温には強いので、あなたの不快指数と私の不快指数は違います」などといっても、何の意味もないであろう。なんだかんだで、結局、経済企画庁は一九九九年以降の豊かさ指標の発表をやめてしまったわけだが、それにしても、なぜ「豊かさ指標」のようなものを作って発表したのか、という疑問は残る。多分に真実に近いと思われる邪推をすれば、経済企画庁には「都会集中型の生活構造を変えたい」という思いがあったのではないか。そのため、故意に東京や大阪が「豊か」になるような経済的項目の重要度を（相対的に）減らし、地方が「豊か」な結果が出るような指標を使ったのではないのか。

本文でもくどいほど述べていくつもりだが、調査（指標作りも調査の一部といえる）とは真実が何であるかを知るために行われるべきで、特定の目的や偏向した思い込みを持ってすべきものではない。「豊かさ指標」が失敗した真の理由は、まさにそこにあったといえる。

とはいえ、豊かさ指標を嗤《わら》ってはいられない。いわゆる社会調査全般において、消費者物価指数のように操作手順がしっかりと決まっているケースは稀で、操作手順はもとより、そもそも何が「知りたいこと」かすらはっきりしない調査が多いのが現状だからである。

「豊かさ指標」と同じように、その下部構成要素（指標）に対する批判から廃止されたものに、中学生を対象とした「性格テスト」がある（「読売新聞」一九九四年三月四日）。また廃止はされてはいないが使用を限定されたものに、「知能テスト（ＩＱ）」がある。現在では知能テストは「賢さ」を表わすのではなく、賢さのうちの特定の能力を測定するにすぎないという「ただし書き」がつく。例えば将棋の坂田三吉は、知能テストでは点は高くなかったかもしれないが、彼が「賢くない」と言いきれる人はまずいないからである。

本書では多くの実際例を参照しながら、「社会調査」とは何であるかを学んでもらうことになる。まずは誰がどのような社会調査データという名の「ゴミ」を作り、それを誰がまき散らし（広め）ているのか、という話からスタートする。

第1章　「社会調査」はゴミがいっぱい

「社会調査」という名のゴミが氾濫している。そのゴミは新たなゴミを生み出し、大きなうねりとなって腐臭を発し、社会を、民衆を、惑わし続けている。

社会調査を研究してきた者として言わせてもらえば、社会調査の過半数は「ゴミ」である。それらのゴミは、様々な理由から生み出される。自分の立場を補強したり弁護するため、政治的な立場を強めるため、センセーショナルな発見をしたように見せかけるため、単に何もしなかったことを隠すため、次期の研究費や予算を獲得するため等々の理由である。そして、それを無知蒙昧《もうまい》なマスメディアが世の中に広めてゆく。

社会調査方法論（research methods）の世界には「ＧＩＧＯ」という言葉がある。これは〈Garbage In, Garbage Out.〉という用語の頭文字を並べたものであるが、要するに「集めたデータがゴミならば、それをどんなに立派に分析したところで、出てくる結論はゴミでしかありえない」ということである。

本書はこれから、これらのゴミは誰がどんな目的で生み出しているのか、どうやって広まっていくのか、どんな種類のゴミが、どんなプロセスで誕生する可能性があるのか、そして今後、それにどう対処していくべきか、といった問題について考え、答を出していくつもりである。

まずは現代社会を我が物顔でのし歩く、ゴミたちの実態を紹介することから始めよう。

その前に、一つだけお断りしておきたいことがある。文中ではいろいろな例を出して説明しているが、これらは本書の後半部を読みやすくするため、わざとバランスを考えて選択されている。従って必ずしも、もっとも象徴的な事例とは限らない場合もあるので、気をつけられたい。本章は、いわば様々な問題提起編であり、できるだけ多様な種類の間違いを含む例を紹介するよう工夫されている。

学者が生み出すゴミ

まず一番多く社会調査を計画・実施しているのは、筆者自身も含まれる「学者」と、その予備軍とされる大学院レヴェルの研究者たちであろう。今から数十年前には、海外のあまり知られていない理論をこねくり回して、愚にもつかない論文や本を書けば、学者のふりをしていられる時代が存在した。しかし現代のように情報が飛びかうようになると、理論だけで論文が書けることは少なくなってしまった。何らかのデータがあり、それを分析したものを付加しなくてはならない時代になったのである。

ところが大先生と呼ばれる大御所たちは、若い頃にはコンピュータなどなかったこともあって、実は調査や統計分析という分野にあまり強くない人が多い。自然な結果として、その大先生の下で、将来、先生になるべく修業する若き研究者たちは、ずさんなデータ集めや分析をしても何も指導されないため、それでよしとする風潮に染まってしまいがちである。

大先生の方はまだ政治力と財力とを発揮すれば、少しはまともなデータが手に入る立場にいることが多いが、より困った問題は、大学院生レヴェルが自分の論文を補強するために安易に集めるデータである。

まず第一に、このような大学院生は数が多い。最終的に学者としては失格になる者も含まれているから、余計に始末が悪い。ずさんでおかしな調査のどこが悪いかというと、今の日本社会を見ればよくわかるが、人々が悪い意味で「調査慣れ」してしまい、まともな真に必要な調査に対しても非協力的になってしまうことである。調査が多すぎて「またか」という気持ちになることと、あまりにひどい内容の調査をマスコミなどで目にすることで、調査全般に対する信頼感を失ってしまうからである。

学者のヘンな調査が横行するのは、それをちやほやする受け手（マスコミ、民衆、役所など）がいるからである。日本には、ちょっとでも社会的に事件性があると何のチェックもなく記事になり、将来の研究費が（文部省はじめ関連省庁より）予算化され、その学者は大先生とあがめたてまつられるという風習がある。

例えば一九九八年に「子供をキレさせないための食事」なるトピックがマスコミを賑わせたことがあった（「日本経済新聞（夕刊）」一九九八年十一月十日／「ニューズウィーク日本版」一九九八年十一月十八日号）。ジャンクフード（カップ麺やスナック菓子、ハンバーガーなどのファーストフード）を食べる頻度と非行の間に相関関係が見つかったとして、栄養学者も加わって、もっともらしい理屈（血糖値がどうしたとか）を並べ立て、これに文部省も予算化して取り組むことになったというものであった。

犯罪学を専門とする筆者に言わせれば、この相関はいずれも「親の躾《しつけ》の手抜き」から派生した結果にすぎず、栄養学的な因果は、たぶん何もないと思うが、仮にあったとしても補助的なものであろう。

学者が犯す調査方法論の過ちは、のちに述べる社会運動グループやマスコミのものほど単純ではないため、一般的には（社会調査の方法論を学ぶ機会のなかった人には）正しく見えてしまい、反論できないことがよくある。次に述べる例は調査論者の間で「後追い因果」と呼ばれているプリミティブな調査例である。

〈地震の前兆現象を研究している大阪市立大学の弘原海《わだつみ》清教授たちのグループは一九九五年一月十七日の阪神・淡路大地震から三週間ばかりたった二月中頃、調査用紙を作り、新聞各社を通して呼びかけを行った。集計結果は『前兆証言１５１９！』（東京出版）というタイトルで同年九月十日に出版された。〉

別に調査自体にケチをつけるつもりはない。トピックとして面白いものであることは認める。しかし、この種の調査は「そういえば地震の前にこんなことがあってヘンだと思った」というたぐいの、あとになって誇張されたり時間的に前後が不明確なものを集めたものであるため、実際に役に立つ情報はかなり少ない。

この教授は、それを認識した上でやっているのだから問題はない。問題は、こうした情報の山から一定の法則性を見つけ出して仮説を作ることをせず、地震の興奮さめやらぬうちに、すべてそのまま、感嘆符（！）入りで出版を強行したことである。

当然、マスコミは飛びつく。調査した人間が、自分たちのトピックの重要性をマスコミを通じて世に訴える機会を逃したくなかった気持ちはよくわかる。教授本人が本の序章で訴えているように、研究トピックの重要性が認知されなければ、研究予算の配分が不公平に決められている現状を打破できない（前掲書、一一頁参照）というのも事実である。

しかし、やはりこのような本（ゴミの山）を出版するよりも、必要なら全記録のコピーを研究者に配るなどして、きちんとした仮説の作成からスタートすべきであった。

正直言って、この本の証言のほとんど（九割以上）がゴミである。数の多さをビックリマーク入りで本のタイトルにすれば、世の中の人は間違いなく誤解する。学者として、やってはならないことである。

学者およびその予備軍たちが社会調査をやりたがる理由は本章の冒頭で述べたとおりだが、データ自体がゴミであることと、データはゴミでなくてもいつの間にかゴミに変わるプロセスとは、別の問題であることを改めて確認しておきたい。これについては第3章「研究者と調査」のところでもう少し詳しく説明する。

政府・官公庁が生み出すゴミ

学者よりは少ないとはいえ、かなりの数の社会調査が政府や政府関連下部組織、特に官公庁でなされている。これらの調査の特徴は、お金をかけたわりに、おそまつなものが多いことである。学者（およびその予備軍）の場合は、おそまつながらまだある程度のツボは押さえているものだが、官公庁の場合は、助言者がいないわけでもなかろうに、ずいぶんヘンな調査が行われている。

ヘンな調査が生まれる理由を分類すると、①動機自体は悪くない「単なる思慮不足」、②外部の不満の声に対する「弁明的なごまかし」、③将来の予算を獲得するための「政策的サポート」の三種類に大別できる。例を紹介しておこう。

①単なる思慮不足

労働省が一九九四年三月二十九日に発表した、総合職の女性に関する調査がある。新聞記事を見ると「**総合職女性6割『昇進など不利』**／**8割が『能力発揮』**／**『仕事続けたい』7割**」などの見出しが目に止まる（「日本経済新聞」一九九四年三月三十日）。

この調査は総合職制度を採用している企業三百六十社の女性を対象に、前年（一九九三年）の九月と十月に実施され、七百四十四人から回答を得たと書かれている。この調査は一見良くできているように見えて、実は重大な欠点のある何の役にも立たないデータなのだが、どこが悪いかを指摘する前に、この調査が他の団体に与えた影響を見てみよう。

労働省の調査が発表された同じ一九九四年の十二月、今度は人事院が、民間でなく関東の女性国家公務員の中から三百人を抽出してアンケートを行っている。その結果は、翌一九九五年五月八日付の新聞紙上に発表されている。見出しは「**『能力評価に不満』49％**／**管理職の女性**

公務員」というものであった（「日本経済新聞」一九九五年五月八日）。

同様に関西生産性本部も、一九九七年九月十七日、「女性の社会進出」などをテーマに実施した調査の結果を発表したが、それは「**人事評価で男性と格差／『女性の社会進出』調査**」という見出しの記事となった（「産経新聞」一九九七年九月十八日）。

最初に紹介した労働省の調査は、このような類似の調査が次々となされるという、ある面では輝かしいスタートを切ったものであった。

ところが、これら三つの調査には致命的な欠点が存在している。それは「比較の対象が存在しない」ということである。例えば労働省の調査によれば、総合職の女性の六割が「昇進など不利」と考えているとあるが、もし男性の七割が「昇進など不利」と思っていれば、総合職の女性の不満は男性に比べて少ないということになる。

人事院の調査でも、もし国家公務員の男性で「能力評価に不満」を持つ者が女性の四九パーセントより多ければ、女性の不満は相対的に少ないということになる。こうした比較がなされない限り、いくつかの記事に書かれているような「人事での男女均等の促進を求める意見も多かった」とか「女性であるために昇進やポストなど処遇面でデメリットがあると感じる女性職員が多いことが浮き彫りになったといえる」といった言葉は空虚にしか聞こえない。

これほど似たりよったりの調査のために税金が無駄に使われる前に、なぜ誰かが気がついて指摘しなかったのかという疑問が浮かぶが、それに対しては二つの答が存在する。

第一の理由は、こうした官公庁や政府関連団体が集めたデータは一般に公開されない、ということである。これはプライヴァシーを理由とするケースや、「統計法」（指定統計・届出統計）を根拠とするケースである。二つめは、仮に一部の学者に分析を依頼する場合でも、「批判はしません」という念書をとった上でしかデータを見せないことである。これは「批判を受けると調査の担当者が責任を問われ、場合によっては来年度の予算を削られる」（明治大学のA教授の話）からだという。

プライヴァシーを理由にデータを一般人に公開しないというのは、ある程度はわかる。しかし一般人はおろか一部の特権的大御所教授を除いては、学者にもデータが公開されないというのはうなずけない。筆者もある研究所のデータ（文部省の管轄のもとに税金を使って収集されたものである）の使用をお願いに行ったことがあるが、秘密厳守する旨のいかなる誓約書でも提出すると申し出たにもかかわらず、まったくの無駄骨であった。ちなみに海外のほとんどの先進国では、誓約書の提出もしくは本人を特定できる変数を削除するという条件であれば、公的機関で集めたデータは公開されるのが普通である。

②弁明的なごまかし

単なる思慮の不足であれば、まだ改善の余地もある。少なくとも労働省などの調査では、何割かの女性が不満を持っているという事実はわかったわけで、善意に基づいた調査としてまだ許容範囲内にあるといえよう。しかし、これから述べる政府・官公庁絡みの社会調査は、まさしく税金の無駄遣いとしかいいようがない例である。

一九九三年、急速な円高が進む中で、経済企画庁と通産省は、ほぼ同時期に実施した小売業の調査結果を発表した。この記事の内容を要約すると次のようなものとなる。

《「**64%が円高差益還元/食料・衣料中心に**」

経済企画庁の調査は、全国の主要小売業者二百社を対象としたアンケートで、九十社から回答を得た。それによると、差益の還元をすでに実施している小売店は五〇%、計画中は一四%となっている。スーパーの七五%、百貨店の七六%がすでに実施している。価格の下がっていない業者には改善を求めていく方針。

通産省の調査は、百貨店、チェーンストアなど小売業主要三十六社を対象に行われ、十三社で延べ約八百品目にわたり、二〇%以上の値下げを実施していることが判明した。通産省は発注から店頭に並ぶまでの期間が長い衣料品などの値下げも実施されていることに好意的である。》(「読売新聞」一九九三年七月十三日)

まずは前段の経済企画庁の調査の、ばかばかしい点から列挙してみよう。

★調査対象の主要小売業がわずか二百社程度ではエリート中のエリートにすぎず、小売業者を代表するサンプルになっていない。

★二百社のうち九十社が回答したとのことだが、円高差益の還元を行っている業者は積極的に調査に答えたはずで、経済企画庁の調査であるにもかかわらず回答しなかった残りの百十社は、たぶん円高差益還元を実施していない。

★回答した九十社の六四パーセントということは、結局、二百社中五十八社でしかない。

★スーパーと百貨店が七〇パーセント台と高いのは当たり前である。一品目でも象徴的に（客寄せのために）円高差益還元セールを行えば、「やりました」と報告できるからである。以上の理由により「64％が円高差益還元」という発表は、「経済企画庁はちゃんと円高差益を監視しています」というポーズを見せるための目くらましでしかなく、何の意味もない。単なるゴミである。

続いて後半の通産省の調査。

★調査対象が三十六社では少なすぎる。サンプルになっていない。

★回答したのが十三社というのも少なすぎる。前と同じ理由で、回答しなかった店や業者には回答しない理由があるはずである。

★八百品目というと多いようだが、延べ何品目扱っているうちの八百品目なのかが、まったくわからない。百貨店や食料輸入業者が含まれているようなので、おそらく何万品目ものうちの八百品目である可能性が高い。

通産省としては、円高差益は順調に（人々に）還元されています、欧米が批判するような内外価格差も解消しつつあります、というふりをする必要があったというのが本音だろう。

ところで経済企画庁と通産省とでは、円高差益解消の現状に対し、微妙に評価のニュアンスが異なっていることにお気づきだろうか。通産省のコメントが円高差益還元の現状にかなり好意的なのに対し、経済企画庁は今後の監視について述べている。そう思ってよくよく新聞を見ると、案の定、この記事のすぐ左下に電気・ガスの値下げに関する記事が載っていた。円高のため原材料を安く買えることから、電気やガス代はもっと下げることができると考える経済企画庁と、値下げに慎重な姿勢を見せる通産省との間の綱引きのニュースである。

どちらも自説の根拠としておかしな調査を使っている点では同罪だが、少なくとも物価を下げようとする経済企画庁の方は、消費者のことを考えている点で評価できる。国の経済の長期安定という美名の下で、競争のない企業を多く育成し、あわよくば天下り先を確保しようとするよりは数段ましであろう。

③政策的サポート

官公庁などは、時としてこれから進めようとする政策をサポートする目的で、(ずさんな)調査結果を発表することがある。場合によっては予算の獲得のために行うこともある。例を二つ挙げるが、二つとも厚生省がからんだ事例である。

まず最初の例は、一九九四年四月に発表された平成五年版「厚生白書」に関する記事である。

《「**畳多いほど子供増加/円滑な住宅供給訴え/子育て負担の軽減に道**」

畳の数が多いほど子供の数も多い―。八日公表された平成五年版厚生白書は、こんな分析結果を基に、子供を増やすには「公共住宅などの円滑な供給が必要」と訴えている。/(中略)一人当たりの畳の数(住宅の広さを畳に換算)が一二・九畳とトップの富山は、一世帯(世帯主が四十九歳以下)当たりの子供(未成年)の数も二・三人と最も多かった。/全国的にもある程度の相関がみられ、例えば(中略)。/厚生省の出生動向基本調査(平成四年)でも、人口百万人以上の大都市では子供を持とうとしない理由として、二四・五%が「家が狭い」を挙げている。》(「産経新聞」一九九四年四月八日)

記事には北海道から沖縄までの「子供の数」と「畳の数」の数値を並べた表も掲げられていて、記事に裏づけらしきものを示している。さて、この調査結果のどこがおかしいかわかりますか（一分くらい時間をとって考えてみてください）。

ここでは決定的におかしな点を二点だけ指摘するが、これは単にスペースの関係からで、他におかしな点や疑問点がないという意味ではない。念のため。

★人口過疎地域は、その地域の文化的伝統により、都会より子だくさんの家庭が多い。専業主婦が多いこととも関係があろう。また、それらの地域は、大都市に比べ家のスペースが十分にあることが多い、従って「子供の数」も「畳の数」も同じ地域文化の中から生じた結果であって、相関があってもおかしくない。

★「畳の数」が多いほど「子供の数」が増えるというより、「子供の数」が増えたので、より広い家に移ったと考える方が普通である。

最初のケースは「隠れた変数」と呼ばれる問題で、ある二変数間の相関が別の変数の結果として得られる状態を指す。専門用語でスプリアス効果（spurious effect）と呼ばれる。あとの方のケースは「逆の因果」と呼ばれ、原因と結果をごちゃまぜにしてしまった間違いを指す。「隠れた変数」と「逆の因果」については第4章でもう少し詳しく説明するつもりでいるが、今はこのように、ある二変数間に「相関がある」ことと「直接の（一定方向の）因果がある」こととは、同じではないことを覚えておいてもらいたい。

なお、実際に筆者がコンピュータを使用して、「子供の数」と「畳の数」の相関係数を出してみたところ、東京、神奈川、富山という三つの極端な例を除くと、かろうじて有意な相関が存在する程度の弱い係数しか出てこなかったことをつけ加えておく。

さて、ここまでが記事の前半部分であるが、この調査結果を報じた記事には、「子育て負担の軽減に道」と題された後半部分がある。署名入りのその記事中に次のような箇所がある。

〈今回、厚生省があえてこうした点に触れたのは、子育て支援を行う社会的な合意をつくりたいためだ。高齢化対策に比べ、少子化対策が立ち遅れているのは、子育てで「応分の負担」をする合意が得られていないからだ。／しかし、厚生省が「二十一世紀福祉ビジョン」で示したように、高齢化が進む平成三十七年度の国民負担率は五割を超える。（中略）／こうした危機感から、厚生省は「子育てにかかるコストは社会共通の費用の側面があり、負担の在り方に幅広い議論が必要」と、子育てにかかる負担の軽減と費用負担の組み替えに道を開いた。〉

どうやら、目的が崇高であるかどうかは別にして、ある一定方向のコンセンサスを形成する目的で調査が行われているのが実態のようだ。問題は、その根本である調査や分析がまったく意味のないものであるにもかかわらず、数字だけが一人歩きを始めることである。お役人が各所で説明してまわるゴミでしかない調査結果は、往々にして次のゴミを生み出したり、より大きなゴミに化けたりするものである。

「ゴミ」がいっぱい登場したが、次にこれぞ正真正銘の「ゴミ」の例を紹介しよう。同じく厚生省の関係した事例である。

これは、**「ごみ、ドーム130杯分／最高、5000万トンに迫る」**という記事（「読売新聞」一九八九年四月二十一日）である。一九八八年度に日本全国で出たゴミの総量が過去最高の約四千八百万トン、東京ドーム百三十杯分に達していたことが、厚生省の緊急集計で明らかになった。そして厚生省は、放置すると町中がゴミだらけになりかねないとして、ＯＡ化で急増している紙ゴミの再利用や、使い捨て容器の利用自粛なども含む幅広いゴミ対策に全力を挙げる、という内容である。

これは調査自体の問題ではないが、調査結果を発表する時に故意に人を驚かすような表現をしながら、その実、何の情報も与えていないということがよくある。そのよい例が、ここで使われている「東京ドーム百三十杯分」といったたぐいの表現方法である。一人あたりバケツ何杯分とか風呂桶何杯といった方がもっとわかりやすいと思うのだが、「すごいだろ」ということを示すために、関東では東京ドームや霞が関ビルが、関西では大阪ドームや大阪城が使用され、かえって話をわかりにくくしている。

それはさておき、案の定、この調査報告記事のすぐ脇に次のような見出しがある。

「粗大ごみ有料化／減量めざし東京都方針」

なぜ厚生省が突然に「緊急集計」を行ったか、これで明らかとなる。「ゴミが増加しているので有料化します」という政策に対する反対を、事前に抑えるためである。この政策の必要性は認めるにしても、官公庁による調査とマスコミ利用に一定の歯止めをかけなくては、今後どんな目的で使用されるか心配である。そういえば、薬害問題や年金問題など、いろいろ問題を抱えているのは厚生省ではなかったか。

ここで紹介した事例は、ほんの一部にすぎない。他の官公庁や地方も含む政府関連組織は、何かというとすぐアンケートや調査をやりたがるが、そのわりには調査の何たるかをまるで理解していない。重要な政策を決めるデータであればこそ、より綿密なプランと正確な実施が要求されるべきであろう。

社会運動グループが生み出すゴミ

初めにお断りしておくが、筆者は政治的に特定の政党を支持する気もないし、特定市民運動に水をかける気もない。筆者自身は右翼も左翼も好きになれないが、だからといって、あえて攻撃する気もない。ただゴミのような調査を攻撃しているのであって、悪い調査はどこが行おうと学問上の真理追究の妨げになると考えているだけである。

学者（およびその予備軍）も、官公庁も、ひどい調査を平然と行うことは見てのとおりだが、彼らのひどさは、これから述べる社会運動グループに比べると、まだまともに見えるから不思議である。学者よりも、お役人よりも、もっと調査方法論がわかっていない、もしくはわかった上でわざと悪用している一部の社会運動グループが存在するのである。これらのグループによって迷惑しているのは、結局は他の健全で真摯な社会運動グループなのである。

スペースの関係で、一部の女性グループと模擬投票で盛り上がるグループについての例だけをお見せする。

①女性運動グループ（の一部）

女性運動グループの多くは地道な運動を進めており、それはそれで大いに評価している。しかし時にはヘンなグループがいて、ヘンな調査結果を発表することがある。次に紹介するのは、「働くことと性差別を考える三多摩の会」なるグループが発表した調査結果である。

《「働く女性の6割　職場で性的被害／セクハラ1万人アンケート／市民団体ら福岡で会合／法的措置求める」

調査は昨年十月、全国各地の女性団体の協力で始め、今年二月に締め切った。回答したのは北海道から沖縄まで全国約七千人で、うち有効回答が約六千五百人。／報告によると、視線、言葉、行為などにより、職場で性的な被害を経験したと答えた人は五九・七％あった。その中で、具体的には「愛人になれ」「ホテルへ行こう」など言葉での被害は四八・八％。「いやらしい目つきで体を見られた」「スカートをめくられた」などの痴漢的な行為が九七・五％。「下着に手を入れられた」など、よりひどい例が一一・六％だった。（後略）》（「朝日新聞」一九九〇年八月十九日）

なんと日本で働く女性の六割もがセクハラの被害を受けているのか、と思ってよく読んでみると、意味がよくつかめない質問がある。「いやらしい目つきで体を見られた」という項目である。しかもこれを、犯罪的行為の中でもとんでもない部類に入る「スカートをめくられた」といっしょにして、どちらかの被害を経験した人は九七・五パーセント（被害を受けた人のうちのほとんど）に達すると報告しているのである。

「いやらしい目つきで体を見られた」と判断したのは、アンケートに答えた女性の主観であろう。「いやらしい目つきで体を見られた」という項目にはノー、「スカートをめくられた」という項目にイエスと答えた人は数パーセント程度のはずであるから、九七・五パーセントの大半は「いやらしい目つきで体を見られた」と答えた人たちで占められているはずである。

ということは、有効回答のうち五九・七パーセントが何らかの性的被害を受けたとして、そのうちのかなりの人が「いやらしい目つきで体を見られた」のみにイエスと答えたということである。「6割」という数字は、つまりは、このヘンな質問項目のおかげで出来上がったわけである。

これが三割であろうと一割であろうと、たとえ一人であっても、由々しきことに変わりはない。日本の職場で非人道的行為が日常的に行われているのも事実であろう。しかし、これほどずさんな調査で日本人男性を非難するやり方には賛成できない。これでは他の女性運動団体のきちんとした調査までうさんくさい目で見られるようになり、逆効果でしかない。こわいのは、前にも述べたように、こうした数字が一人歩きを始めることである。

その証拠に、雑誌「ニューズウィーク日本版」(一九九一年十月三十一日号)に「**NOと言わない日本女性**」と題する記事が掲載された。次のようなテクストである。

〈(日本では)裁判沙汰になることは少ないが、実情はアメリカより深刻だ。「働くことと性差別を考える三多摩の会」が六五〇〇人の女性を対象に実施したアンケートでは、六九%が職場で性的嫌がらせを受けたと答えている。(中略)「日本の社会そのものがセクハラ体質」なのだと多賀は言う。〉

「ニューズウィーク日本版」は比較的高学歴の人々に読まれている。かくて日本の男性は悪い奴だという話が、一方的に広まっていくわけである。

この調査結果は、のちに『女６５００人の証言——働く女の胸のうち』（学陽書房）という本になって出版された。六千五百人も集めたのだから正しいに決まっている、といわんばかりのタイトルだが、ここにも、この手の団体が犯しがちな誤りがある。人数さえ多ければよいという思想が感じられるからである。

この本によると、アンケートは「三万部」作られ、（北海道から沖縄まで）全国十一カ所の連絡先を引き受けてくれた女性グループを中心に、労働組合などの協力を得て、女性たちの手もとへ届けられた（前掲書八〜九ページ）そうであるが、これだと有効回答率は二二、三パーセントにすぎない。とても信頼のおける調査とはいえない。しかも、なお悪いことに、こんなくだりまである。

〈また、新聞や雑誌、ラジオを通してアンケートを知り、個人で協力を申し出てくださった女性も千人を超えました。〉

この種の「経験」調査の場合、被害にあった人は積極的に、何もなかった人は消極的に返答する可能性が高い。つまり調査対象とした三万人のうち、回答のなかった二万三千人と回答した七千人とでは、質が異なっていると考えるのが自然である。ましてや個人で協力を申し出た人まで加わっているのだから、単にゴミがふくらんだだけのことである。

シェア・ハイトという自称フェミニストが、その名を世界的に有名にした『ハイト・リポート（The Hite Report）』を出版したのは一九七六年のことだが、これに関してA・K・デュードニーが『眠れぬ夜のグーゴル』（アスキー、一九九七年）で次のように述べている。

〈ハイトの本に書かれた意見は、2回の世論調査で収集したものによる。初めの調査では、これに気軽に応じてくれそうな女性が多いと見られるところ――女性運動グループ、女性雑誌、そのほかのいくつかの組織を中心に、およそ10万通の調査用紙を郵送した。そのうち3019通が回収され、彼女はこの回答から一般的な結果を導けるだろうと考えた。2回目の調査では、用紙は11万9000人の男性に郵送され、7000通が回収された。ハイトは世論調査の専門家ではないので、回答数が多ければ、それだけで彼女の結論の根拠になると完全に信じていた。たとえば、回答者の70パーセントが配偶者以外と性的交渉を持ったことがあると答えたことから、彼女はその数字が大衆全体にも適用できると気軽に考えたのだ。（中略）ABCと『ワシントン・ポスト』が一九八七年一〇月に同様のテーマで実施した調査は、（中略）ハイトの調査結果とほとんど正反対の結果が出た。〉（前掲書七七～七九ページ。傍点筆者）

筆者も大学院時代、社会階層論のR教授から『ハイト・リポート』を悪い見本として習ったことがある。R教授もデュードニーと同じことを言っていた。「こんな本のせいで、ちゃんとした調査までうさんくさい目で見られるのは困りものだ」と。

ちなみにシェア・ハイトはいまだにマスコミにもてはやされているようで、一九九九年七月に来日した時には、多くの新聞その他のメディアに紹介された。日本で開かれたシンポジウムや公演も盛況であったようである。

②模擬投票

調査論の世界では、基本的に数よりも有効回答率を重視する。「数さえ集めればよい」と思うのは、何も知らない人々には「〇万人の結果」と言った方がインパクトが強いからであろう。それを知ってか知らずか、数の多さを悪用して盛り上がっているのが、最近よく見かけるようになった「模擬投票」という名前の調査(?)である。

一九九九年八月、「神戸空港・住民投票の会(代表世話人=須田勇・元神戸大学長)」なる団体が、自主管理(手作り)投票の最終集計を発表した。それによると、総数三十一万千四百九十八票の自発的な投票があり、神戸空港建設に「反対」を表明したものは九四・七パーセント(!)であった(「読売新聞」一九九九年八月十九日)。

市を訪れた須田代表ら約五十人は、投票用紙などといっしょに提出した笹山幸俊市長あての請願書の中で、「市民投票に示された市民の意思を尊重して着工をストップし、住民投票を速やかに実施すべきだ」などと訴えた。新聞によると、この際、メンバーが市長へ直接手渡すことを求めたため、市役所内で職員ともみ合いになるなど一時混乱したという。

はっきり申し上げるが、空港建設に市民の二十人に十九人が反対するというような数字は単なるウソである。まともな大人なら、それが真実でないこと（市民の実態を表わしていないこと）ぐらいすぐにわかる。団体の代表が元国立大学の学長かどうかに関係なく、そんな調査はゴミであり、そのようなゴミを作り、しかも直接手渡すため職員ともめるようなグループの代表者に、国立大の名誉教授として税金から給与を出すのはやめてもらいたい（心配していたとおり、朝日新聞が八月二十八日付の社説で喜んで模擬投票結果を引用し、ゴミをより大きくした）。

ひょっとしたら模擬投票の結果は真実かもしれない、と考えている人のために、過去に何度か行われた同種のケースから二例を紹介しておこう。

一つめは、一九九二年五月に行われた「国連平和維持活動（ＰＫＯ）協力法案」に関し、賛否を問うた投票である（「朝日新聞」一九九二年五月十八日、「毎日新聞」五月十一日など、関連記事多数）。

新聞記事によれば、「日本はこれでいいのか市民連合（小田実代表）」や、「戦争いややねん大阪ピースサイクル（笹山悦夫代表）」などが各地で市民投票実行委員会を作り、主要駅など約百七十カ所で計十三万七千票を集めた。最終結果はＰＫＯ法案に反対が八八パーセント、賛成は一一パーセントであったという。

手元に、同時期に日本の二大新聞社があい前後して行った、代表的サンプリング手法（第4章参照）による同主旨の質問の結果がある。新聞の見出しは次のようなものである。

「**PKO自衛隊派遣68%が容認**」（「読売新聞」一九九二年五月三日）

「**カンボジアPKO自衛隊派遣／賛成52%、反対36%**」（「朝日新聞」一九九二年九月二十八日）

「容認」と「賛成」では質問概念が同じでないので一概に比べるわけにはいかないが、模擬投票の「賛成11%」との差はとてつもなく大きい。社会調査論を教える者から見て、朝日も読売も、さすがといえるレヴェルで、比較的「ズレの少ない」調査をしているといえる。一定の結果が出るよう誘導された調査は調査とは呼べず、ただの腐臭を放つゴミでしかない。

もう一つの模擬投票例は、一九九七年十二月二十一日、沖縄県の海上航空基地（ヘリポート）の是非を問うて行われたものである。

《「**近畿各地でも模擬投票実施／『反対』9割超す**」

（前略）労働者の交流団体「働く青年の全国交歓会関西実行委員会（全交関西）」が中心となり、大阪、京都、兵庫、滋賀の近畿二府二県のJR線駅頭など五十七カ所に投票箱を置いた。／実際の市民投票と同じ形式で、海上航空基地建設に「賛成」「環境対策や経済効果が期待できるので賛成」「反対」「環境対策や経済効果が期待できないので反対」の四者択一で記入してもらった。投票総数は全国で計約三万一千票だった。「反対」と答えた票がいずれも九割を超え

た。》（「朝日新聞」一九九七年十二月二十二日）

ところが、実際に沖縄県民によって行われた投票結果は次のとおりである。海上ヘリポート建設に「賛成／条件付き賛成」が四五・三三パーセント、「反対／条件付き反対」が五二・八六パーセント（「朝日新聞」一九九七年十二月二十二日）。ちなみに投票率は八二・四五パーセントで、有権者に対する割合では、賛成が三七・三七パーセント、反対が四三・五八パーセントで、両者とも過半数には足りなかった。

同じ日の紙面にこれほど違う数字を載せる神経も理解しがたいが、それはさておき、だいたいこうした模擬投票というのは調査対象者（投票者）がムチャクチャである。（主催者にその気がなくても）わざわざ政治臭がプンプンする投票にやって来る者（もしくはやって来ない者）は、概して特定の思想を持っている場合が多い。「死刑存廃」や「天皇制」「日の丸・君が代」問題、「自衛隊の可否」などについての模擬投票を見かけないのは、自分たちが望む結果を出せない、つまり盛り上がれないからであろう。

模擬投票におけるサンプリング（投票者）は、おおむね昼間に駅前を通りかかる人々に限られ、いくら数が多く集まったところで、一日中、会社で働いている人たちには無縁である。そもそも、まともな頭の持ち主であればこのような投票など信じていないから投票をしない、ということもあるだろう。調査におけるズレを少なくさせるための方法論については第4章で説明するが、これらの模擬投票は、むしろこのズレを増幅させるために、何らかの意志によって誘導されているようにさえみえる。ある意味では貴重な教材（むろん悪い例の）だともいえる。

マスコミが生み出すゴミ

マスコミが行う調査方法は、先に紹介した朝日や読売などの世論調査にみるとおり、かなりまともになりつつある。ただし、ここでいう「方法」とは、サンプリングやデータ収集といった技術面についてのことで、内容ではない。中立を標榜しながら特定意見を押しつけたり、いいとこ取りをして勝手な解釈を加えるという点では、朝日も読売もいまだに誘導的手法が多い。また学者などの調査を引用し、発表する場合も、曲解のはなはだしいものが多く見られる。

何といっても、マスコミが一斉に調査結果や予想を競うのは選挙である。選挙の数週間前あたりから当落予想が始まり、当日は出口調査などによる最終議席予想、そして開票が進むにつれて当確を出すタイミングへと突入していく。

出口調査は最近は特に精度が向上し、一九九八年の総選挙では、フジテレビ系と日本テレビ系は投票が締め切られた時点で、ほぼパーフェクトな数字を出すことができた。他局もおしなべて正確であった。一九八九年十月に茨城県で行われた参院補欠選挙では、たった一人しかいない当選者の出口調査をＴＢＳが大幅に外した（午後六時からの報道特集で「細金候補が四九パーセントと野村候補に一〇パーセント以上の差でリード」と報じた）ことを考えると、隔世の感がある（失敗原因を問い合わせてみたが、ノウハウは秘密ということで教えてもらえなかった。ただし、どんな間違いをしたかは筆者なりに想像できる）。

それまでＮＨＫの独壇場の観のあった当確を出すタイミングに民放が割って入ったのは、一九八〇年代後半頃だったろうか。とはいえ当時は、基礎票の集計や出口調査の精度を上げたのではなく、とにかくＮＨＫより早く当確を出そうと、（たぶん）「当選確実」の定義を変えただけだったのではなかろうか。ＮＨＫはそれまで、統計学的に九九パーセント当選が確実になった時点で「当確」を出していたが、民放はその九九パーセントの確実性（有意性と呼ぶ）を九五パーセント程度まで下げたものと思われる。

一九九〇年に行われた衆院選の開票速報合戦では、ＮＨＫとＴＢＳが各二件、日本テレビ、フジテレビ、テレビ朝日が各五件と、合計十九件もの間違った当確が出された（「毎日新聞」一九九〇年二月二十日）。最近は定義だけでなく、票読みの精度も向上したようで、まずはめでたしである。

出口調査や当確予想はゴミの域を脱したが、現在に至るまで正確さに欠けるのが数週間前から行われる当落予想である。当落予想には、「当落線上」とか「接戦」、「あと一歩」と書かれた候補が有利になるとされる、いわゆる「アナウンス効果」の問題がある。逆に「圧勝の勢い」などと書きたてられ、いざフタを開けてみたら二位スレスレだったりするのは、例えば自民党候補に当選数回の現職と新人の二人がいた場合、現職はまあ大丈夫だろうと、新人の方に票を入れたりする心理効果によるものと思われる。

こうしたことから、例えばフランスでは、投票日から遡って一定期間はマスコミによる予想が禁止されている。日本でも選挙予想を禁止する法案が話題に上ったことがあるが（「読売新聞」一九九二年五月三十日）、マスコミ各社の猛烈な反対（「読売」五月三十一日／「朝日」六月一日／「日経」六月三日付の各社説など）にあって挫折している。

新聞の再販制度をめぐる論議の時もそうだった。どの新聞社の紙面にも再販制度見直しに賛成の声はなく、掲載されるのは反対の記事ばかりだった。新聞とはそうしたもので、ＮＩＥ（新聞を授業に取り入れる教育）についてであれ、役に立ったという記事しか載らないし、逆に「新聞休刊日が多すぎる」とか、「せめて月曜日以外にならないのか」「各社が一度に取る必要があるのか」といった投書や記事にはあまりお目にかからない。

一九九六年十月、ＮＨＫは「個々の政策や投票に関して、街の声を安易にインタビューすることは慎む」と発表した。「街頭でインタビューした一部の声を放送すると、それが多数の意見のように受け取られるおそれがあるのではないか。世論調査できちんとした世論を伝える方が、より公正であると考えた」結果であるらしい（「朝日新聞（夕刊）」一九九六年十月十一日）。ところが翌日の「天声人語」が、早速、これにかみついている。これはジャーナリズムの放棄だというのである。

一部のセレクトされた（五、六人の）街の声を、いかにも全体の意見であるかのように記事にするのを得意とする朝日新聞がかみつくのはよくわかる。「街の声」だけでなく、自分たちの意見を補強してくれる専門家たちについても同じである。

話はややそれるが、専門家の利用で思い出した。最近の「天声人語」は筆者が知るかつての名文とはほど遠いが、選挙の話のついでに一例を示しておく。近年になく投票率が回復、自民党が大敗した一九九八年七月十四日の「天声人語」の一部である。

〈自民党は、もっと手ひどく負けていたかもしれない。新潟国際情報大学の石川真澄教授（政治学）は、そう語る▼（中略）こんども「寅年現象」が働き、投票率は五八・八％まで戻った。数字が押し上げられたお陰で、苦戦しながらも当選できた自民党候補がいる、と石川さんはみるのである▼（中略）石川さんは、出口調査その他のデータを総合し、実際の「寅年現象」部分は、投票率が上がった分の三分の一程度だったと考えている。残り三分の二は「前回は棄権したが、今回は投票しよう。それも非自民に」と政権に批判的な意識をもって投票所に行った人たち、と分析するのだ▼投票率は五〇%前後、と石川さんは予測していた。結果はそれをも上回った。「人びとの怒りの強さ、大きさを読み切れなかった」とご本人はいう。私は、もっと読めなかった。〉

何度読んでも、冒頭に書かれた結論と後半とが一致しない。人々が今の政権に怒り、学者も読めなかったほど投票率が上がり、しかも増えた分の三分の二は反自民の投票なら、得をしたのは民主党のはずで、実際そのとおりの結果だった。つまり数字が押し上げられたお陰で、苦戦しながら「落選」した自民党候補がいっぱいいたはずで、実際の結果もそのとおりであった。

では冒頭部分はいったい何だったのか、ということになる。このように専門家を登場させ(本人が本当にそう言ったか新聞社が勝手にそう解釈したのかは知らないが)、強引に論を進める記者やデスクが跡を絶たないが、こうしたずさんな文章がなぜ編集段階でチェックされないのか、不思議でしょうがない。

選挙の当落予想というと決まってマスコミに登場してくる人物に、H大学のFなる教授がいる。この人はテレビに出て「アナウンス効果が心配です」(日本テレビ一九九三年七月十三日深夜～十四日)などと指摘しながら、一番アナウンス効果を作り出している張本人である。彼は一九九三年、次ページの表に見られるように、筆者が知るだけで三回も当落予想をしている。

1993年衆議院選におけるF教授の選挙予想

メディア	自民党	社会党
週刊朝日（7月 9 日号）	190±30	100±20
週刊現代（7月 10 日号）	175±30	110±15
週刊文春（7月 22 日号）	195±15	
実際の選挙結果	223	70

上下六十議席も幅を持たせて、しかも三回も機会がありながら、一つも当たらないというのは見事なものである。その上、まるで競馬の予想よろしく、当選圏内は◎とか当落線上は△とか印をつけて全選挙区を個別に予想するのは、学者としてモラル的に問題がある。

この三回は筆者の切り抜いたものだけだが、新聞やテレビも含めると、他にも違う予想を垂れ流していたかもしれない（例えば、切り抜きを紛失したため媒体は不明だが、某誌の「7月20日」号でも大ハズレの数字〈自民188±30、社会93±20〉を挙げていたことが筆者のメモに残っている）。

ではF教授は一九九三年の大ハズレに懲りて選挙の予想をやめたかというと、一向にそのような気配はなく、一九九八年の参院選でも「自民党59±6（実際は44）」とか「投票率が40％を切るという予想もあります（実際は58・8％）」などと、大川慶次郎の競馬の予想以上に当たらない分析をしている（「報知新聞」一九九八年六月二十五日）。こうなると、このような人物を起用するマスコミが悪いというしかない。

ゴミを作り出すのは、本章で紹介した学者、官公庁、社会運動グループ、マスコミなどのほかに、「広告」や「一般人」にも多くみかける。しかし「広告」というのは、そもそもが誇大に言ったり不公平なことを言うのが目的化しているので、悪いことは悪いが、しかたがない面もある。要はそれに騙されない教育をすることである。

「一般人」に至っては、とても個人名を挙げて攻撃する気にはなれない。ゴミは投書欄などで取り上げないようにすべきで、それはマスコミ側の問題に帰する。

マスコミは自ら作り出すものも含め、ゴミを世に広める媒体となっている。では、なぜゴミを垂れ流すのか、今後、どうあるべきかといった問題について、次章では筆者の提言をまじえて考えてみることにする。

第2章　調査とマスコミ——ずさんなデータが記事になる理由

垂れ流されるゴミ

誰がどんな調査を行おうと、通常はマスコミに取り上げられなければ、広く一般的に知られることはない。その意味で、マスコミにはゴミがゴールに入るのを防ぐキーパー役をしてもらわなければならない。ところがマスコミには、自分たちが行う調査を含め、その内容や方法論をきちんとチェックしている様子が見られない。それどころか、とんでもない調査を、発表されるままに記事にしたり、場合によっては故意に悪用することをくり返している。

本章ではこうしたマスコミの体質について考え、どのようにすべきかを提言したい。

どこでどう思考能力が停止してしまったのか、最近は比較的良識的といわれていた新聞でも、官公庁や研究者の発表する調査結果や分析を、ほとんどそのまま、チェックせずに記事にしているようにみえる。それがセンセーショナルな内容や数字であれば、まさにゴミの垂れ流しになってしまう。

①数字のチェック

まずは、簡単な数字を鵜呑みにしたり、自分たちに都合がいいように決め込んだ例を、三つばかりお目にかけよう。

最初は海外から発信されたものをチェックせずに垂れ流したケースだが、この例には数字の根拠として「コンピュータ」や「大学教授」などが登場するため、多くの新聞社が騙されたものである。

《「**5千万分の1の偶然、3姉妹同日出産**」

【ロサンゼルス支局14日】米国ユタ州で十一日、三人姉妹が相次いで出産するという偶然が起きた。（中略）姉妹の父は大学のコンピューターの教授。学生に確率を計算させたところ「約五千万分の一」と出たという。》（「朝日新聞」一九九八年三月十五日）

この五千万分の一という数字は、どのような計算によるものだろうか。ちょっと気がつかないかもしれないが、一年のうちの特定の日に生まれる確率を三百六十五分の一として、これを三人分ということで三乗すると疑問が氷解する。

コンピュータや大学教授を持ち出すまでもなく、この確率はたぶんこのようにして計算されたものであろう。しかし、しかしである。ランダムな三人の誕生日が一致する確率を出すには

ある「特定の日」に3人の誕生日が一致する確率

$$\frac{1}{365} \times \frac{1}{365} \times \frac{1}{365} = \frac{1}{48,627,125}$$

「365日のどこか」で誕生日が一致する確率

$$\frac{1}{365} \times \frac{1}{365} \times \frac{1}{365} \times 365\text{通り} = \frac{1}{133,225}$$

三百六十五分の一を三乗すればよいと考えるのは間違いで、単に二乗するだけでよい。なぜならば、最初の一人は三百六十五日のうちのどの日でもよいからである。

このやり方なら、確率はたったの十三万三千分の一ということになる。実際には他の要素が深く関与するため、これほど計算は単純ではないが、まあ一度、自分でチェックしてみてください。

新聞記者やマスコミというのは、普段はツッパっているように見えるが、実は権威に弱い。こうした外信部や官公庁、大学などから出される結果や分析を、自分で追試してみようという者はあまりいない。その一方で、自分たちが計算するとなると張り切って意外に面白い数字を出すことがあるということを、次の例で説明する。

毎年発表される数字で、各新聞の数字がまったく異なっているものがある。「閣僚資産の平均」である。次ページの表をご覧いただきたい。

1996年度「閣僚資産平均」各新聞の数値

メディア	平均	小見出し
毎日新聞	6億1600万	4人が10億円以上
東京新聞	5億7000万	トップは麻生氏の37億円
朝日新聞	5億2000万	自民単独復活で1億7000万円増
読売新聞	1億4888万	第一次より3800万低く
産経新聞	1億4888万	麻生経企庁長官8億2524万円
日経新聞	1億4886万	麻生長官7億9275万円

これは第二次橋本内閣に関する、同じ日付（一九九六年十二月十四日）の新聞記事である。平均が五億円以上と高額の三社の代表として朝日新聞の記事を見ると、小見出しに「自民単独復活で1億7000万円増」とあり、次のような内容が書かれている。

〈自社さ連立の第一次橋本内閣の平均より約一億七千万円上回り、一九九一年十一月に発足した宮沢内閣以来、五年ぶりの自民単独政権への復帰が平均値を押し上げた形だ。〉（「朝日新聞」一九九六年十二月十四日）

朝日としては、「自民党だから高くなった」と言いたいのだろう。逆に二億円以下の低い額の代表として読売新聞を見ると、小見出しに「第一次より3800万低く」とある。これは実勢価格（土地や株式の現実の評価額）ではなく、公開された額（取得額もしくは帳簿上の額）を平均したものである。二億円以下とした読売、日経、産経は、いずれも発表された数字の平均であるが、なぜか日経は産経より二万円低く、読売の見出しでは「八十八」という大きな端数を切り捨てている。

平均が五億円以上とした毎日、東京、朝日の三紙は実勢価格で平均を出したわけだが、それぞれ実勢価格をどう評価したのかはさておき、三社とも単純平均を出すことに何の疑問も持っていないことに注意されたい。

東京新聞では麻生太郎氏の資産を三十七億円、毎日新聞は約三十九億円、朝日新聞は二十七億円と評価しているが、いずれにせよ、このように突出した値（専門用語で「はずれ値＝outlier」と呼ぶ）が存在する時は、単純平均値を用いるのは不適当であるとされている。仮に毎日新聞のように、麻生太郎氏の資産が三十九億円とすると、閣僚は全部で二十一人だから、一人で平均を一億八千六百万円近く押し上げたことになる。

新聞によってこれほど数字が違うのは「おもしろい」が、どの新聞も単純平均を使用することに何の疑問も持っていないようであるのは、少々心配である。

簡単に触れるだけにするが、最後に示す例は、筆者も専門家の一人として関係のある「サッカーくじ」に関するものである。一九九八年五月にこの法案が成立する前、国会では法案提出側から、このくじの当たる確率は「百六十万分の一」で宝くじ並みであることがくり返し説明された。

その根拠は、このくじは指定の十三試合について、それぞれ「ホームチームの勝ち」「ホームチームの負け」「延長／引き分け」の三通りの選択がある。それゆえ当たる確率は三分の一を計算した数字、すなわち百五十九万四千三百二十三分の一（約百六十万分の一）になるというものである。ちなみに、一つだけはずれる二等の確率は百六十万分の一の三倍で、約五十三万分の一とのことであった。これらの数字は、ほとんどすべての新聞や雑誌などにそのまま引用された。

計算の根拠は筆者の別の論文（「トトカルチョの確率とギャンブラーの心理」《Gambling & Gaming》第1号、一九九八年）を参照していただくとして、実際は一等当選確率はせいぜい三十万分の一、一つだけ間違う二等当選者は、一等当選者が一人出るごとに理論上、二十数名出現するはずである。一等に関しては数倍、二等に関しては数十倍も見込み違いがあったことになる（現在では「約百六十万倍になる」から「百六十万通りの選択肢がある」に表現が直されている）。

②他調査の引用

新聞社が学者や他団体の調査を記事にする際、その主催者の発表を鵜呑みにして、チェックせずに発表することは前の例でも述べた。トピックさえ面白ければ、どんな方法論で収集されたデータでも、まったく気にかけないようである。例えば次のような記事がある。

《「死刑廃止『賛成』65％／アムネスティ　アンケート／近畿の衆院選候補」

人権擁護団体、アムネスティ・インターナショナル日本支部は十一日、近畿二府四県の衆院選立候補者を対象にしたアンケートで、六五％が死刑廃止に賛成していると発表した。／先月二十三日以降、小選挙区の全候補者百九十四人に死刑廃止の是非など七項目の質問を送り、ファクスと電話で百十五人（五九％）から回答を得た。／「死刑制度を廃止するべきだと思うか」との質問では、「思う」が七十五人、「思わない」十五人、「どちらとも言えない」二十五人。政党別に見ると、廃止賛成派は、社民（回答者一人）と共産（同四十五人）、新社会（五人）、民改連（二人）が全員。新進（二十四人）は十三人、民主（十一人）五人、自由連合（七人）と無所属（五人）は各二人おり、自民（十三人）とさきがけ（二人）はゼロだった。》（「読売新聞」一九九六年十月十二日）

数字がごちゃごちゃしていて、わかりづらいかもしれないが、この調査結果の記事のどこがいけないか考えてみてください。悪い点はいくつかあるが、記事から判断できるものを挙げると次のようになる。

★死刑廃止賛成者七十五名には共産党全員の四十五名が含まれている。共産党は選挙資金がもっとも潤沢で、すべての選挙区に候補を立てることで知られているが、当選者は少ない。つまり、候補者の六五パーセントと民意の六五パーセント（または当選者の六五パーセント）とはまったく異なっているのだが、記事をよく読まなかった人には誤解される。

★回答しなかった四一パーセント（七十九名）には死刑廃止に反対（つまり死刑制度に賛成）の人が多いと思われる。なぜならアムネスティ・インターナショナルは、死刑に反対する団体として、よく知られているからである。

記事で見る限り自民党候補者の回答者はたったの十三人であるが、自民党の候補者がこんなに少ないはずがない。アムネスティを相手に記名で死刑制度に賛成する勇気がなかったものと思われるが、一概にはこれを非難できない。というのも、アムネスティ・インターナショナルは自分たちの政治的主張に合わないものを、容赦なく批判することで知られている団体だからである。反対するより答えない方がましだろう、という気持ちもわからないではない。中身も考えずに、こんな調査を記事にする方がおかしい。

このように調査というのは、新聞社ないしは記者の代弁をしてくれるがゆえに記事になることもあるし、逆に、あの新聞社なら記事にしてくれそうだと考えて、ヨタ調査を持ち込むこともあるだろう。記事に取り上げてもらうには、トピックのおもしろさ（特に時事ネタ）、特定の思想に賛同してくれそうな新聞社を選ぶ、センセーショナルな発見のふりをする、などいろいろあるが、どこのマスコミにも効果的なのが「子供をダシにする」作戦である。やれインターネットでイギリスと日本の中学生が英語で討論しましたとか、子供国会が開かれましたとか、原爆に関する展示と発表を小学生たちが行いましたとか、背後で大人が糸を引いているのが明らかなものでも、マスコミは取り上げたがる（またはイヤイヤながらも義務感で取り上げる）。例えば次の調査なども、そうしたものの一つである。

《「『日本の政治は40点』厳しい高校生の目／3年生900人意識調査／『金権廃止を』4割」》

（「読売新聞（夕刊）」一九九四年五月九日）

この調査は広島にある大手教科書出版社が行ったものであるが、記事には次のようなくだりがある。「同社では、今回のデータを現場の教師に提供し、現代社会、政治・経済科目の教材に活用するという」。何のことはない、教科書出版社と現場の教師たちが、日本の政治批判を高校生に「やらせ」ているだけのことである。

マスコミの皆さんにお願いがある。他人の調査を引用する時は、最低、次の三点だけはチェックし、それを記事の中に入れるか、読者からの請求があれば答えられるようにしてほしい。

◎何を目的とする調査か（主催者は誰か。仮説は何か）。

◎サンプル総数と有効回答数は何人か。どう抽出したか。
◎導き出された推論は妥当なものか。
これ以外にも、本来ならば調査票（質問票）も記者が見て（チェックして）、請求があった時に備えて一部くらいは手元に置いておくべきである。筆者も何度か経験したことであるが、記事になった調査について問い合わせても、「主催者に聞いてくれ」で終わってしまうことが多い。これでは記事を垂れ流しているのと同じことで、無責任である。

③悪意か無知か

序章で、アメリカの歴代大統領四人のうちで一番人気があるのはカーターだった、という例を紹介したのを覚えておられるだろう。四人のうち三人（ニクソン、フォード、レーガン）は共和党で、民主党はカーターだけである。当然ながら共和党支持者の票は割れるが、民主党支持者にはカーターしか選択肢が存在しない。従って、カーターが一位になることは調査前から明らかだった、もしくはカーターを一位にする目的で作られた質問内容（forced choice）だったという例である（本書八～九ページ参照）。

ロサンゼルス・タイムズはわりとリベラルな新聞であるが、そういわれて記事の後半部を読むと「一部の回答者の声」が効果的に使われていることが見て取れる。結論を言えば「forced choice」に気がついていなければ「無知」であるし、気がついていたならば「悪意」を持って計画された調査だといえる。この記事を引用した朝日新聞の編集者についても、同じことが当てはまる。無知か、それとも悪意かである。

このような調査の恐ろしいところは、他の媒体に引用されたりすることで、さらに広がってゆくことである。実際、この記事は雑誌「文藝春秋」の「日本が選ぶ歴代米大統領ベスト5」と題された座談会でも引用されている。この記事の十二ページめを引用する。

〈**椎名**　ただジョージア州知事としては日本企業の誘致に積極的で親日的ではありましたね。

宇佐美　最近の「ロサンゼルス・タイムス」の調査では、過去四人の大統領の中で一位の人気です。以下はレーガン、ニクソン、フォードの順ですが。カーターは人道的な活動が評価出来、一方レーガンは貧しい人のために何もせず、多くのホームレスを生む原因を作ったというわけです。

椎名　一位といっても、それはあくまで「元」大統領としてということではないですか。

（後略）〉（「文藝春秋」一九九二年三月号）

このあとレーガンを悪く言う宇佐見（宇佐見滋・東京外国語大学教授）と、カーターの方がひどかったという椎名（椎名素夫・国際経済政策調査会理事長）のやり取りが続くのだが、ここで宇佐見教授が引用しているのは、まさしく先程の記事である。普通の人が「forced choice」に気がつかないのは許せても、東京外国語大学の教授が、しかもアメリカ大統領についての座談会に呼ばれるほどの専門家がこの程度では、少々なさけない。あるいはそれを知った上での引用であれば、相当にタチが悪い。

記事のための調査

新聞社は、しばしば独自の調査を行う。その中には、特定の目的を持って、特定の記事を書くためだけに行われる調査もある。その場合、ある程度、前もって調査結果がわかっているものから、どんな数字が出ようと最初からある種のトーンの記事にするつもりのものまで様々である。事件でないものを事件に仕立て上げるための調査さえ少なくない。

①特定記事のための調査

新聞社には、これを記事にしなければ社会的責任を果たせない、と考えているふしのある事項がある。例えば靖国神社参拝問題や原爆記念式典などがそれである。もう十分に「語り継いで」いただきましたので別のニュースをお願いしますと思っても、やはり「まだまだ語り継がねば」ということなのだろう。

ここ数年、定期的に調査記事に登場するものに、阪神大震災の仮設住民に対するアンケートがある。仮設住民一人あたりに何回くらい、アンケートに回答させられたか数えてみるとおもしろいかもしれない。

この手の調査は初めに記事ありきで、誘導的な聞き取りがなされたり、答えてくれる人を選んで聞いたりするやり方が多く、方法論的にあまり優れているとはいいがたい。それでもましな方の例として、朝日新聞が震災から一年半後に行った調査を見てみよう。

《「仮設住民『取り残される』75％／きょう震災1年半／300人追跡調査／『生活に不安』8割」

阪神大震災で被災し、仮設住宅で暮らす人たちの中で、「復興から取り残される」と思っている人は七割を超え、震災前に住んでいた地域に「戻りたいが戻れない」と考える人も約六割に増えた。神戸市内の仮設住宅の入居者千人に対し、朝日新聞社が昨年十二月に実施した意識調査を踏まえ、うち三百人を六月に追跡調査したところ、こうした傾向が浮き彫りになった。今後の生活に不安を感じている人も増えている。一方、行政への評価は厳しさを増し、震災後の施策に対して「十分とは思わない」が八割に達した。》（「朝日新聞」一九九六年七月十七日）

調査の数字（結果）がどう出ようと、前回の調査より悪化したといえる項目を選んで記事や見出しにしただけのことだが、それでもとにかく調査はしたわけである。そして、それを「天声人語」などのコラムでも紹介する（同七月十八日）。こうした調査を行えば、必ず行政サイドの「不十分な対応」への不満が出るに決まっているので、とにかく現政権を批判することができ、新聞の社会的使命も果たせるというわけである。もちろん、こうした記事を通して困窮している人々の声が為政者側に届くという機能は重要であるが、だからといってズサンな調査を容認する理由にはならない。

お断りしておくが、この調査は仮設住民を対象としたものとしてはマシな方である。少なくとも追跡した三百人に対し、前回の調査の時と同じ質問をして回答を比較している点や、調査方法を明記しているところなどは評価できる（このように同じ人に時間をずらして尋ねる調査を「パネルスタディ（panel study）」と呼ぶ）。しかし、次に挙げるような難点がある。

★前回、調査した千人のうち、今も仮設住宅に残る三百人を追跡したというが、実際には、千人のうち追跡できたのが三百人だったということではないか。残りの七百人のうちの多くは「仮設住宅を出ていった人たち」のはずで、残された三百人が「取り残される」と感じたり、行政の施策が「十分とは思わない」のは、むしろ当然である。パネルスタディというのは全員を追跡してこそ意味があるわけで、本来は仮設住宅を出て自立した人たちにも、例えば行政の施策が「十分と思うか否か」尋ねなければ、あまりに一方的といわれてもしかたがない。

実際、行政サイドはよく復興のための努力をしてきたし、現在もしていると思う。記事では、ある傾向が「浮き彫りになった」と言っているが、浮き彫りにしたのは新聞社の〝力技〟のせいである。正しい意見は堂々と主張してもらいたいと思うが、正しい主張は正しい調査あってのものである。

次に、もう一つ、例をお見せする。毎日新聞社が発表した、消費税率引き上げに対する調査結果である。

《「税金不信（番外編）：税理士6割『反対』『凍結』／来春の消費税率引き上げ／でも4割『21世紀には10％超』

毎日新聞社は28日、東京、大阪の税理士を対象に実施した税金問題のアンケート調査結果をまとめた。総選挙の争点となる消費税率引き上げ問題では、来年4月から3％を5％に引き上げることへの「賛成」は37・7％だったのに対し、「反対」「一時凍結」を合わせると60・3％に達し、税の専門家も引き上げに強い抵抗感を示していることが明らかになった。一方で、21世紀初頭の税率は10％以上を予測する人が39・6％と約4割に上り、目先の引き上げには反対でも、高齢化が進む将来に備えた場合に消費税への見方が揺れていることがうかがえる。》

（「毎日新聞」一九九六年九月二十九日）

まず初めに言っておくと、税理士というのは確かに税の専門家ではあるが、財政政策の専門家ではないということである。つまり税理士といっても、一般人よりは多少は税についての知識があるという程度でしかないということである。

しかし一番の問題は、翌年四月の消費税五パーセントへの引き上げに「賛成」が三七・七パーセントだが、「反対」も三七・七パーセントだという点にある。これに「一時凍結」の二二・六パーセントを加えて「反対」「凍結」が六割、といっているのである。

一方、将来的には一〇パーセントかそれ以上の消費税になると考えている回答者が四割いるが、この四割には、来春というのは時期的に疑問だが、いずれは税率を上げることを前提とした「一時凍結」が含まれていると考えるのが自然であろう。だとすれば、この「一時凍結」は、どちらかと言えば「反対」よりも「賛成」サイドに含まれるべきものであろう。二十一世紀初頭の消費税を五パーセントもしくは五パーセント以下と考えている人は二割を少し超えるだけ、という回答がそれを示していると考えられる。

毎日新聞はこの手の調査が得意なようで、組織犯罪を捜査する手段として電話などの傍受を認める法案に関する質問の選択肢は、「必要だ（15％）」「やむを得ない（29％）」「あまり好ましくない（33％）」「不要だ（12％）」の四者択一になっている。

しかし、ちょっと考えれば、「やむを得ない」と「あまり好ましくない」とは類似の項目であることに気づくはずである。つまり大多数の人は「あまり好ましくないがやむを得ない」程度の意見であると思われる。これは、どちらかと言えば賛成に分類されるか、切り離されて別項目となるべき種類の選択肢であるが、毎日の見出しは「反対45％賛成44％／通信傍受法案」というものであった（「毎日新聞」一九九九年六月十六日）。本来なら「賛成」「どちらかといえば賛成」「反対」「どちらかといえば反対」という選択肢か、この四択に「わからない」を加えた五択の質問が一般的な尋ね方である。

②質問票の工夫（という名のごまかし）

「一時凍結」を「反対」と解釈するより、もう少し学術的な（そしてずるい）テクニックを用いて、回答の分布を変えたり特定方向の選択肢を選ばれやすくする方法がある。「質問票の工夫」と呼ばれる手法である。まずは例を見ていただこう。

《「**『君が代』法制化『必要』47％『不要』45％／『議論尽くせ』66％／**（小さな文字で）**法案への賛成58％**」》（「朝日新聞」一九九九年六月三十日）

この朝日新聞の調査の質問票はきちんと同じ日の紙面に載っていて、この点は読売などと並んで評価できるところである。質問は全部で十一問あり、日の丸と君が代に関するイメージや、論議されている内容についての質問がいくつか続くが、最後の質問は次のようなものである。

◆あなたはこの法案を、八月半ばまでの、今の国会で成立させるのがよいと思いますか。それとも、今の国会での成立にこだわらず、議論を尽くすべきだと思いますか。（数字は％）

今の国会で成立させるのがよい	23
議論を尽くすべきだ	66
その他・答えない	11

この質問では「今の国会での成立」か、もう少し「議論すべき」かという二者択一の問題にすり替えられているが、以下で述べるように、実は民意ははっきりしている。この質問の一つ前の質問は「政府は国会に、日の丸を国旗とし、君が代を国歌とする法案を提出しました。その法案はカード（別紙）の二条から成っています。あなたはこの法案に賛成ですか。反対ですか」という質問で、賛成は五八パーセントに達している。これを考えると、最後の質問は回答者の決断を誘導的に先延ばしさせるものと言わざるをえない。

案の定、この「議論を尽くすべきだ」（それほど言うなら先送りもしかたなかろう）という回答は、同じ日の朝日新聞の社説で次のような内容で引用されている。

《【社説】「矛盾がますます広がる／国旗・国歌法案」
日の丸・君が代を国旗・国歌とする法案の国会審議が始まった。／「自自公連携」の流れに乗り、政府は延長した今国会での成立をめざしている。／何度も主張してきたように、性急な法制化は避けるべきだ。／多くの国民もそう望んでいることが、朝日新聞社の世論調査で確認された。（中略）／踏みとどまるなら、いまのうちだ。》（「朝日新聞」一九九九年六月三十日）

自分たちの気に入らない法案は、いつも決まって「十分な審議がなされない」状態であり（例えば「サッカーくじ」や「組織犯罪に対する法案」）、もっと議論を尽くすべきだと主張するが、与党議員による数をたのんだ採決は、常に「数の暴力によるゴリ押し」というわけである。

実はもう一つ、隠されたテクニックが存在する。それは最後（後半）の質問に向け、前段部でわざといくつかの問題点を設けておくもので、「キャリーオーバー効果（carryover effect）」と呼ばれているものである。回答者はその前のいくつかの問題に答えるうちにある種の先入観を学習し、その結果としてターゲットである最後の質問に影響を与えるものである。

同じトピックに関し、第4章で正反対の（イメージの）結果を出す例を紹介するつもりだが、ここでは読売新聞が特定の目的で行ったと思われる一つの調査を示しておく。朝日新聞の前の例より「キャリーオーバー効果」がはるかに顕著にわかる例である。

《「**自衛隊『必要』84%／『良い印象』53%（PKO評価）**」》（「読売新聞」一九九四年六月九日）

見出しの「自衛隊『必要』84%」という大きな文字を見て、「またやりおったな」とすぐにピンときたが、質問票を見てみると思ったとおりであった。「キャリーオーバー効果」が使われていたのである。

最後の質問は「自衛隊は、必要だと思いますか、必要ないと思いますか」というものだが、そこに至るまでの質問項目を読むうちに、自ずと自衛隊の活動ぶりがわかる仕組みになっている。具体的に言えば、自衛隊が行う仕事には、安全確保、災害救助、民政協力（急病人の輸送や不発弾の処理など）などがあることを「学習」させ、PKOの平和協力の意義を「教え」、ついでに自衛隊はシビリアンコントロールによって守られていることまで「思い出させ」、その上で最後に自衛隊の必要性を尋ねているのである。

これが「84%」という、ちょっと考えられない数字の背後にあるテクニックである。つけ加えれば、選択肢を「必要だ」と「必要ない」の強い判断レヴェルの二つのみに絞り、この種の質問の場合には通常存在する、「どちらとも言えない」という選択肢を省略していることによっても、肯定的な回答をうながしている。

このようなテクニックを施した質問票は、調査をよく知っている人でなければ、まず作れない。これは単なる工夫のレヴェルではなく、ある積極的な目的を持った「ごまかし」のレヴェルであると考える。

印象操作のテクニック

③印象操作

まず、次の見開きページにある二つの新聞の紙面を見比べてみてほしい。

どちらも同じ日の一面に載った記事である。見出しも写真も数字もほとんど同じ内容であるにもかかわらず、記事全体から受ける印象に大きな差があることに気づかれるだろう。産経新聞の紙面では、「半数強にとどまる」という大見出しや、左下方の「〝大田流〟に反発も」といった文字による効果以外に、「目をつぶっている大田知事」の写真の効果も見逃せない。朝日新聞の目をらんらんと輝かせる写真に比べて、産経新聞の大田知事はいかにも無念そうに見える。カメラマンは何十枚も写真を撮っているはずなのに、わざわざ目をつぶった写真を選んだところに、ある意図が感じられる。

このように記事において全体の印象を操作する方法としては、(a)見出しや小見出しを有効に

産經新聞
朝の詩
イモの蔓
平成8年(1996)[illegible]号
9｜9［月］
産業経済新聞(サンケイ)
THE SANKEI SHIMBUN

主な記事
◇ KANSAI発「アジア株」に注目（6面）
◇ ニュース検証　延命議論の在り方（7面）
◇ 野茂、自己記録更新の14勝目（8面）

産經Web http://www.sankei.co.jp/

沖縄県民投票
投票率は59.53％
基地縮小　賛成票は89％
有権者の半数強にとどまる

会見に臨んだ大田昌秀知事は、思うように伸びなかった投票率のためか、今後の対応などについては考え込む場面も＝8日午後10時15分、沖縄県庁

首相会談後に決断　大田知事会見

（2、3、4、22、23面に関連記事）

低投票率　“大田流”に反発も

当日有権者数	909,832人
投票総数	541,638票
投票率	59.53％
賛成	482,538票
反対	46,232票
無効・その他	12,868票

朝日新聞　1996年（平成8年）9月9日　月曜日　413

基地縮小「賛成」が89%

沖縄県民投票　有権者の過半数

投票率は59・53%

大田知事信認得る

県民投票の結果について記者会見をする大田昌秀沖縄県知事＝8日午後10時20分、那覇市の沖縄県庁で

沖縄県民投票の開票結果

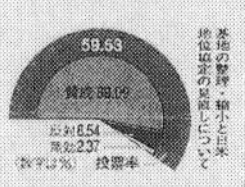

当日有権者数	909,832
投票者数	541,638
投票総数（不受理を除く）	541,626
賛成	482,538
反対	46,232
無効	12,856

総意実証した賛成票

解説

生活への支障認めた結果だ

使う「言葉」によるものと、(b)写真やグラフなどを応用した「視覚（ヴィジュアル）」によるものとに大別できる。

(a)言葉による印象操作

同じ内容の記事であっても、「4割が反対」と書けば「反対」が強調されるし、逆に「6割が賛成」と書けば「賛成」が強調される。こうした操作は、ある特定の新聞社の特定の思想（社論）を補強するために行われる。筆者の切り抜きにもいくつかの例があるが、ちょうど産経新聞の名物コラム「斜断機」に朝日新聞を批判する署名記事が載っていたので、それを紹介しておこう。

《『斜断機』「**朝日新聞の巧みな印象操作**」

「4割が法制化に反対」という三段抜きの見出しが目についた。副見出しには「日の丸・君が代、『侵略』の印象」とある。どこの話かと読んでみたら、北京の日本語専攻学生に対するアンケート結果らしい。（中略）／なるほど、よう教育が行き届いとるな。さすがは社会主義国やな、えらいもんや。日本の反対派と同じことを言うとるなと、いろいろ教わることがあってカンシンしたが、六月十一日にこの記事を載せた朝日新聞に、この際是非確かめておきたいことがある。（中略）／なぜこんなに回答者の数が少ないのか。「北京の研究機関」とはどういう機関なのか。本当に公的な研究機関なのか。この種のアンケート調査を行う場合に必要な基礎学問である統計学について何ほどの知識を有しているところか、教えてもらいたい。(後略)》(「産経新聞」一九九九年七月四日、大阪国際大学教授・岡本幸治)

私の言いたいことは、ほぼ言いつくされている。いくら自分のところの調査では法案に六割が賛成しているという結果しか出なかったからといって(前の例参照)、海外で行われた調査を、しかも調査方法も紹介せずに、見出しで印象操作をしてまで記事にするのは、見苦しいばかりでなく、紙のムダである。

(b)視覚(ヴィジュアル)による印象操作

視覚による印象操作には、いくつかの種類がある。先程の写真の利用、グラフの工夫(というよりごまかし)、地図をうまく利用する方法、イラストの応用、およびそれらの組み合わせなどである。多くの例の中からグラフを利用したものと、イラストを応用したもの、そしてグラフにイラストを組み合わせたものを、見ていただくことにしよう。

次ページの図は、読売新聞社が一九九八年の参院選の前に何度か使用したグラフである(「読売新聞」一九九八年七月十二日)。見出しは「投票率　各陣営が注視」というものだが、問題は図中の雲影のような背景である。

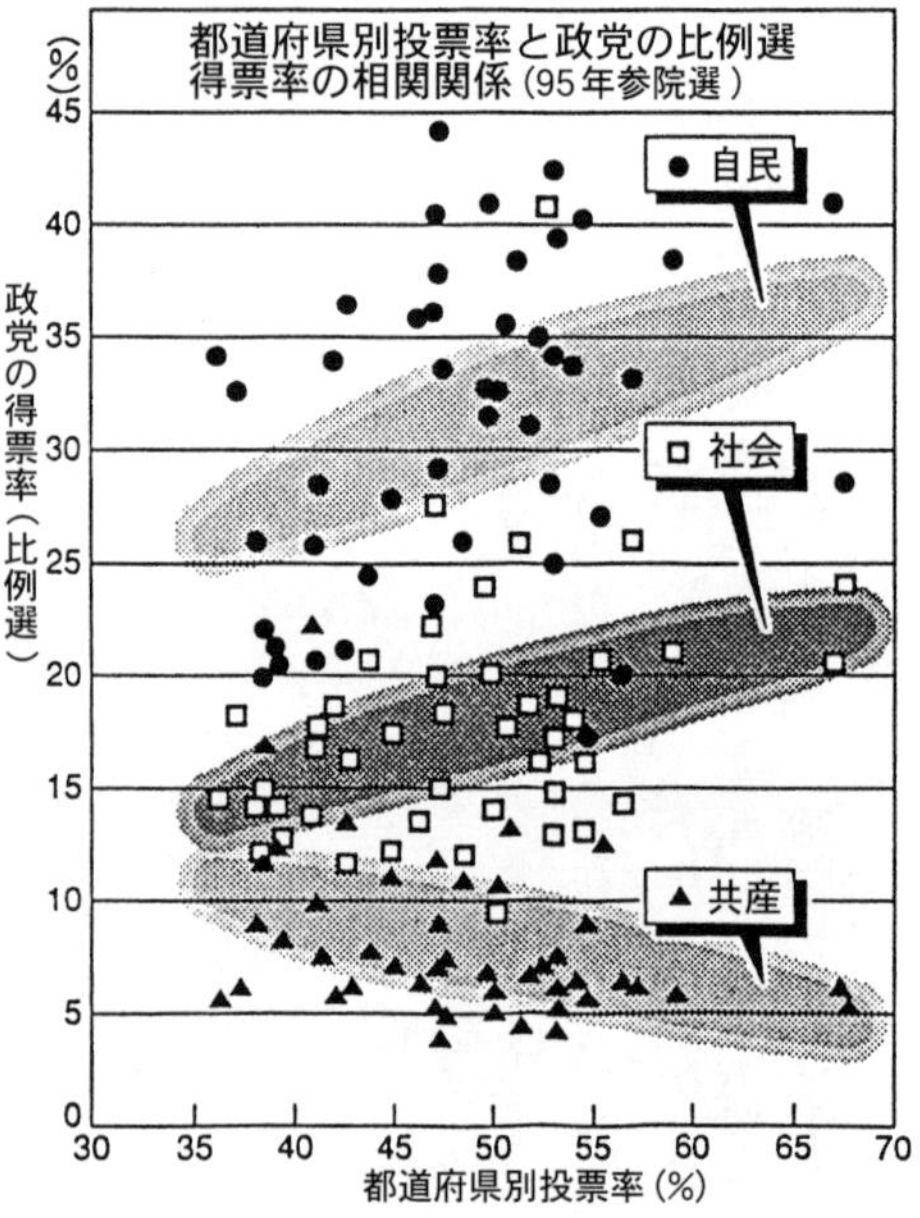

この背景のせいで、いかにも記事の主張するように、投票率の高い都道府県では自民党と社会党は上昇し、共産党は下降するような印象を受けるが、よく見るとほとんど相関はないし、実際にもないだろう。もしこの二つの変数の間に「人口密度」（「都会度」でもよい）という変数を加えれば、わずかにみられる自民党の相関係数もゼロに近いものになるだろう。

社会党や共産党の相関はこのままでもゼロに近く、グラフの雲影傾向などとても見出せない。

次ページ右上の図はイラストを応用した例である。これも視覚のごまかしを利用したもので、コストや税金などは「高さ」という一次元で表されているものの、図から受けるイメージは

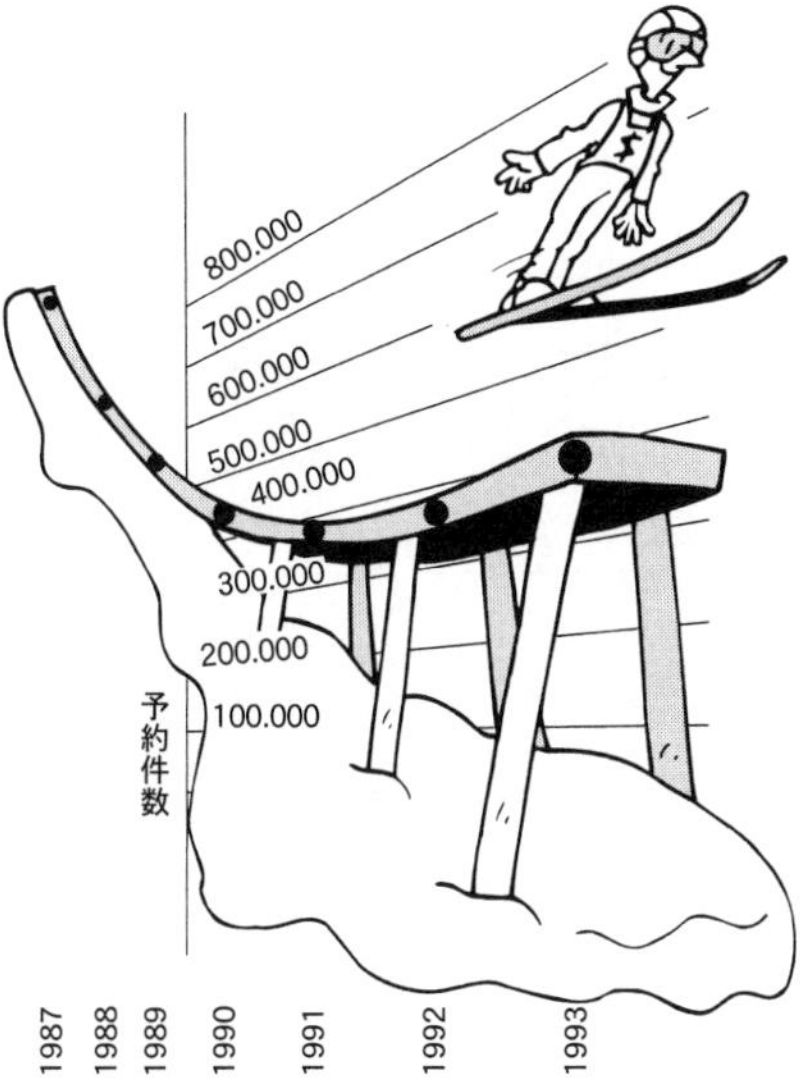

『眠れぬ夜のグーゴル』より

「酒税＋消費税」が圧倒的な量を示しているように思える。

　これは、図を面積として二次元的に捉えるにせよ、実際の瓶を思い浮かべて三次元的に捉えるにせよ、単なる高さ以上の割合を含むように感じるからである。図をよく見ると「酒税＋消費税」の150円は、値段の330円の四五パーセント程度であることが判明する。

　左上の図はグラフとイラストを組み合わせた例である。個人的には、まさに芸術的と感心したものである。

「軌道に乗ったウィンターリゾート産業」と題されたこの図には、いくつかの手法が見て取れる。まず、本来水平であるはずの予約件数（一番上は８０００００）のラインが水平でなく右肩上がりになっており、その傾向は上に行くほど激しい。次に、下の年号の間隔が段々広がっていて一様でない。しかも一九八七年と一九八八年の数値は縦のラインの左側にはみ出しているため、存在すらよく確認できないように工夫されている。

さらには、数値のカーブをジャンプ台に見立て、これから大飛躍を行いつつあることを示唆するイラストまで加わっているではないか。実際はほんの少し戻った程度で、この先、また下降するかもしれないのにである。ここまでやられれば、もう「ケッサクでございます」と誉めてやるしかない。

④スポンサーとの関係

特定の記事を大々的に報ずる、あるいは故意に報じない理由として、「スポンサーとの関係」がある。ＮＨＫを除くマスメディアにとって、広告は基本的収入源だからである。

例えば宝くじ協会は、各種週刊誌に定期的に一ページの「ハッピーさん」シリーズの広告を載せている。宝くじ協会に収益金の使途や広告料のバランスシートを請求してもいつも拒否するのに、その実態があまり記事にならないのは、この広告のおかげかもしれない。最近になってようやく「週刊現代」（一九九九年三月六日号）が宝くじを攻撃する記事を載せたが、誠に勇気ある行為であると評価したい。「ハッピーさん」広告など打ち切られても、がんばってもらいたい（事実、打ち切られた）。

近年のトピックに、「買ってはいけない」論争があった。単行本の『買ってはいけない』は「週刊金曜日」という雑誌に連載された記事をまとめたもののようだが、「週刊金曜日」は広告を取らずに発行しているため、いかなる商品でも好きなように批判できる、という意味では良い企画であった。ところがその内容は、数々の論争に見られるように、かなりいいかげんなものである。

「週刊朝日」（一九九九年十一月十九日号／山口一臣、江畠俊彦の署名記事）によれば、『買ってはいけない』の三人の著者のうち少なくとも二人が、自分の関係する会社の製品を売るために他社の製品を批判していたという。つまり、スポンサーは自分自身だったのである。

ちなみに、「週刊朝日」は「週刊金曜日」とわりと近い関係にあることから、一九九九年九月三日号では「『買ってはいけない』どこがインチキだ」（渡辺節子の署名記事）と題する記事を（一応両論併記の形だが、内容は一方に傾いている）掲載している。二カ月のうちに百八十度、トーンが変わってしまったわけだが、間違っていたと思えば態度を改めるのは正しい行為である。プライドにこだわるあまり、事実をねじ曲げてでも間違った自説に固執するのは、二重に過ちを犯すことでしかない。

民放テレビ番組「サンデープロジェクト」のレギュラー出演者の田原総一朗が、商工ローンの「日栄」の取り立ての取材をしたいと考え、テレビ朝日の上層部に電話をした話が「週刊朝日」の「ギロン堂（連載89）」（一九九九年十月二十九日号）に載っている。「日栄」は当時、同テレビ番組のスポンサーの一つだった。

結局、テレビ朝日がOKを出し、「日栄」にスポンサーを降りてもらうことになったのだが、これも正しい。田原総一朗もテレビ朝日もよくやったと言いたい。真実の前にはスポンサーなど無視すべし、と言うのはやさしいが、実際にはなかなかむずかしいことである。

チェック機関の必要性

まだまだお見せしたい例は山ほどあるが、同じことのくり返しになるだけなので、これくらいにして話を先に進めたい。マスコミ各社は今後、いかにすべきかという問題である。

ここで筆者は、各社で記事をチェックしたり、その他のことに備える「リサーチ・チェック機関」の創設を提案したい。

どこの新聞社にも、すでに調査部やリサーチ係が存在していることは承知している。しかし、それ以外に、内部でも外部でもかまわないが、もう一つ、次のような仕事をこなす部門が必要だと考える。

◎「調査方法の確認・認証」

自分の社で行った調査はもちろんだが、学者や外国などの外部で行われた調査の方法論を確認し、ゴミを捨て去ること。もちろん調査票なども、きちんと手に入れる。

◎「調査目的・仮説・結論のチェック」

導かれた結論が正当なものであるか否かを判断する。そのためにはデータを独自に分析できる機能も必要である。

◎「外部への対応」

自分のところで行った調査に対する質問や批判には、きちんと答える。

最後の「外部への対応」に関して、もう少しつけ加えたいことがある。それはデータの「公開に関するルール」と「公開討論に関するルール」についてである。

①公開に関するルール

まず、自分の組織で行った調査結果は基本的に公開を原則とする。ただし、(a)調査の公開を求める者全員に開示すべき事項と、(b)より高次のレヴェルのものとに分けることはあってもよい。

(a)全員に開示すべき情報

・「調査実施に関する情報」日時、主催者、対象、調査目的（仮説）、データ収集方法など。

・「サンプリング」母集団、サンプル数、有効回答数、有効回答率、属性別分布、抽出方法など。
・「質問票、およびコーディング方法（「わからない」や「無回答」を含むすべての回答肢の処理方法）」
・各質問の回答分布（および性別、年齢層、地域別などの「基本属性別クロス集計」）
・「分析の手法」数量化の方法、「指数（index）」の作り方、分析手法（式）など。

(b)一定の基準を満たせば開示すべき情報

・「raw data（生データ）」、ただし本人を特定できる変数は省く。

では、ここで言う「一定の基準」とは、果たしてどのようなものであるのか。筆者の勝手な希望を言わせてもらえば、まず「研究者」には基本的に生データを開示して欲しい。むろん守秘義務を含め、誓約書なり何なりを提出させてかまわない（ここでいう「研究者」の定義については省略する）。

研究者以外では、相互に認定（accredit）し合ったマスメディアには、基本的にオープンにすべきである。例えば「メディア・リサーチ協会」といった団体を作ることを提案したい。その場合、会員資格は次のようなものであるべきだと考える。

【「メディア・リサーチ協会」会員資格】
★自社で公開するデータの質を高めようと努力している（一定の基準に達している）。
★会員からの請求があれば、自社調査の生データを公開する。
★会員からの公開質問に答える。
★入会は会員の三分の二の賛成が必要である。入会申込みを断るときはその理由を述べる。

メンバーは、新聞ではとりあえず五大紙（朝日、読売、産経、日経、毎日）、テレビ局は主要キー局のすべて、週刊誌ではヘアヌードを載せていないレヴェルのもの、月刊誌では「文藝春秋」「中央公論」「正論」などでスタートし、入会申込みに応じて順次、会員を認定していけばよい。

②公開討論に関するルール

この会員資格の三つめに、「公開質問に答える」という項目を入れておいたが、その理由について説明しておきたい。

新聞社やテレビ局などには、毎日、たくさんの読者や視聴者から問い合わせの手紙や電話が寄せられている。こうした問い合わせには、多くの場合、パブリックリレーションの部門が対応しているようだが、はっきり言って、こうした質問のすべてに答える必要はない。時間的にも人材的にも制約があるだろうし、また、こうした質問を政治的に利用するグループもあるからである。

ただし「メディア・リサーチ協会」の会員会社からの公開質問には、相互に回答する義務を課す。公開質問をした者は、相手方の回答、反論または反質問に対し、質問スペースと同じスペースを確保し、校閲なしで掲載することを約束しなければならない。

こうしたルールが確立され、守られないことには、いつまでたってもマスメディアでは相互チェック機能が働かないのではないかと思うからである。少なくとも現況のように、各新聞社の(好みによる)セレクトで答えるか否かを決めるよりは、数段ましであろう。

かつて、社会科の教科書が「侵略」を「進出」と書き換えたというニュースを朝日新聞が報じたことに対し、月刊誌「正論」が公開質問状を出したことがあった。このとき朝日新聞がとった行動はマスメディアの汚点の一つになった。完全に無視したのである。

もし「メディア・リサーチ協会」が現実のものとなり、その機能が有効に働いた時は、各新聞社が行った調査が調査論的に適当なものであったかどうか、点数(例えばサンプル回収率五〇パーセントで一点、七〇パーセントで五点というふうに点数化する)によって総合的に評価されたり、会社の格付けのようにトリプルA(AAA)などと認定されるようになるかもしれない。そうなればゴミが随分減るので、つまり本当の意味での正しい調査以外は淘汰されていくので、是非とも真剣に考えてもらいたいものである。

欲をいえば、「メディア・リサーチ協会」のほかにもう一つ、「学術リサーチ（格付け）協会」といった組織があるのが望ましい。この「学術リサーチ（格付け）協会」が果たす機能については次章の後半で触れるつもりである。

第3章　研究者と調査

華麗なる学者の世界

調査（特に社会調査）を最も多く生み出しているのはマスコミではなく、学者・研究者（およびその予備軍）であることは第1章で述べた。学者・研究者の世界というのは、外部から見る限り、なかなか実態はわかりにくいと思うが、とにかく摩訶不思議な世界である。

そこで本章では少し視点を変えて、現代日本の学者世界を紹介してみたい。興味のない方はこの章を飛ばしてくださっても、本書全体のストーリーや意図を理解する上で支障のないことを申し添えておく。

なお本章をお読みになるにあたっては、国立大や有名私立大学の教授（大御所）で、特に大きな学会の会長などを務めたことのある方々（の多く）は、血圧が上昇する可能性もあるので気をつけられたい。ただし、若い学者層には必ず読んでもらいたい章である。ついでに言っておけば、次章とその次の章は、ある面ではこの本の核心でもあるので、そこは飛ばさずに読んでいただきたい。

では、まずは華麗なる学者の世界の紹介から。

「大学の先生」というステイタスは大変に高い。もちろん「大学の先生」といっても、ピンからキリまであるのは他の多くの職業と同じで、中にはかなり世の中に不適応な者や、どう考えても頭の出来がよくない者も混じっている。

はた迷惑なのは、たまにヘンな奴がいて、常識から大きくズレた思想や意見を述べることがあるが、それがいかがわしい宗教団体やマスコミの主張に取り上げられ、いかにも学者全体の意見であるかのように喧伝《けんでん》されることである。なまじステイタスが高いため、不出来な構成員の利用価値まで高くなるという、不思議で逆説的な世界なのである。

大学の先生は「教育者」と「研究者」という、大きく分けて二つの立場をあわせ持つ。時にこの両者は相容れないものと考える人もいるが、筆者の経験ではそんなことはない。分野によっては、「教育中心」もしくは「研究中心」といった特殊なケースがあることは認める。しかし、基本的には「教育」も「研究」も相互に不可欠かつ補完的なものである。例えば特定の研究所の研究員であっても、わかりやすく「教える」という作業のためにノートをまとめ、下調べを行うことは、必要で意義のあることである。

本章では大学の先生を中心とする「研究者」に焦点を当て、その昇進システムや論文発表などに至るプロセスを紹介するつもりだが、特に「なぜ研究者はゴミを生み出すか」というトピックに焦点を合わせて話を進めたいと思う。

①昇進システム

大学の先生、特に教授、助教授といった一般に「えらい先生」とされる先生になるためには、かなりの競争を勝ち抜いていく必要がある。大学院博士後期課程の修了生は一人の「大先生」のもとに何人もいるが、その中でも特に目をかけられた（必ずしも「優秀」という意味ではない）二、三人のみがその大学に残ることができる。

大先生という人種は自我が強く、自分は世界で一番頭が良く、しかも正しいと信じているため、性格的に合わない者にとっては、たとえどんなに優秀であっても不幸な環境といえるかもしれない（これは旧帝大を中心とする有名校での一世代前の一般論であることをお断りしておく。現在では大学院生のオプションはより多様化している）。

国立大学などでは、教授、助教授、講師といった縦割りの身分組織である講座制をとっているところが多いため、教授の一言がなければどうすることもできない。「A君、来年度から私の授業を君に任せるからそのつもりで」と言われて、やっと半人前なのである。それまで実質的にはA君がその講座を担当していたとしても、あくまで助手として手伝っているだけのことで、名目上は大先生の授業とみなされるのである。

ところで、この「半人前」になるまでが大変である。半人前になるには、A君はまず大先生に献身的に尽くし、逆らわず、研究においても大先生の理論を継承しなくてはならない。大先生の理論を実証的に証明したり、発展させたりすることは許されるが、まかり間違っても否定してはならない。ましてや大先生のライヴァル的存在であるような先生の理論などは頭から間違ったものとみなし、決して信じてはならない。多少はまともだった研究者の卵たちも、このあたりからいささか偏向した思想と、ついでに偏向した性格へと移行していくケースが多い。

ある理論や学説を頭から信じきっている場合、それを証明しようとすると、実際には真実ではなくても証明されてしまう（ように感じる）ケースは少なくない。これにはいくつかの理由があるが、ここでは省略する。

さて、なんとか大先生の後継者としてのスタートを切ることができたA君だが、これはまだほんの助走に過ぎない。内部（教授会など）で順調に昇進していくには、いくつかの出版物（論文や著書）や学会発表などの業績を重ねなくてはならない。学内の「紀要」と呼ばれる論文集はそのための有力な媒体であるが、それとて大先生に相談し、先生の意向を問わなくてはならない。自分の好きなトピックを選べるわけではないのだ。その上、たとえその論文のすべてをA君が書いたとしても、発表の際は、大先生との連名、それも大先生の名前を先に記すのが当然と覚悟する必要がある。

ノーデータ、ノーペーパー

②研究費

システムの上では、日本の学者および研究者は、すべて科学研究費の申請を行うことができることになっている。申請額や人数によってA、B、Cなど、いくつかのレヴェルに分かれているので、自分のレヴェルに合わせて提出すればよい。しかし最も高額なAランクの研究費には、まず当たらない。特にA君のような過去の実績のない新人クラスには無理である。

科学研究費というのは、名目上は現在における学問上の重要性に鑑みて選ばれることになっている。しかし、これは名目でしかなく、実際は大先生たちの力関係によって決まる。なぜかと言うと、申請書を審査するのは、文部省から依頼されたその分野の主要学会から選出された委員たちであり、大先生たちはそこでバーゲン（交渉や取引き）を繰り広げるからである。

関東の雄であるT大学と関西の雄であるK大学の二大学閥による予算の取り合いは特に有名であるが、予算を獲得するのは彼らばかりというわけではない。弱小大学にもその世界で高名な学者を抱える一派がいたり、海外で評価の高い先生がいたりすることもあるので、場合によっては協力体制（連名）で臨むケースもある。

研究費がつくかつかないかは、すぐに論文の数や学会内の地位にはね返ってくる。そうであるからこそ、若き研究者は研究費の取れそうな大先生の下に集まるのである。「今年は無理だが、来年は私の番だから今から準備しておきたまえ」と言われて申請書を書く人がいる一方で、決して当たることのない申請書を真面目に書き続ける人たちがいることを思うと、心が痛む。

研究費については、もう一つ、別の問題がある。科学研究費は文部省が決めた学問分野で分けられたコードに従って大分類されたあと、さらに専門分野ごとに細分化されて三ケタのコードナンバーがつけられる。このコードに対し、年ごとに大まかな配分がなされるわけだが、問題は、このコードを変えることに誰も責任を取ろうとしないことである。

お役人というのは、一度予算がついたものを撤廃しようとはまず考えない。昨今は研究費に上限が設けられるようになってきたが、そうなると、新しい分野を増やすには他の分野の予算を削らねばならない。それがお役人には、どうしてもできないのだ。結果として、いくら重要な学問分野であっても、新しいコードは作られないということになる。

例えば国立大学の中に「芸術工学」という名を冠した大学がある。学部としてなら、すでに数校に設置されている。ところが、文部省のコードには「芸術工学」という分野は存在しない。従って、この分野の学者が研究費を申請すると、まったく異なった分野の専門家によって審査されるため、いちじるしく不利になる。

筆者が専門とする「犯罪学」を例にとれば、犯罪学というコードナンバー自体が存在しないため、審査員にその筋の専門家がまったくいない「社会学」か、研究手法もアプローチもまったく異なる「刑事法学」の分野で申請するしかない。実際、何回も申請を出しているが、筆者は一回も犯罪学関連の研究費をいただいたことがない。これほど社会を賑わせている犯罪についての学問でもこのありさまで、ましてや筆者のもう一つの専門である「ギャンブル学」など、どの分野で申請すればよいかもわからないし、研究費が支給されるはずもなかろう。

愚痴を聞いてくれというのではない。要するに、これでは日本に（学際的なものを含めて）新しい学問は育たないということである。日本では、若い研究者は大先生と同じ学問をし、同じ教科書を使い、同じ講座を教えるようになるだけである。思いきって新しい分野を創り出そうと思っても、職もなければ研究費ももらえない仕組みになっているのである。

文部省の科学研究費以外にも、民間の研究助成もいくつかは存在する。しかし学者にとっては、まず国から「あなたの研究は国のため必要なものです」と認めてもらうことが重要なのである。それもあって、学者たちの間では、民間の助成金よりも科学研究費の方が〝格〟が上とされている。民間企業がスポンサーとなった受託研究では、スポンサーの意向が反映されがちになるといった倫理的観点からも、研究助成金はやはり公的なものの方が望ましい。

③論文の質

日本の社会科学（だけとは限らないが）の世界では、論文は「質より量」が重視される。たとえ、わけのわからない論理をこねくりまわした自分勝手な結論でも、多くの場合、紀要なり学会誌なりに掲載されれば、それなりの役目を果たしたことになる。学内での昇進を決めるのは、ほとんどの場合、論文を「何本」書いたかだけである。特に社会科学の場合、その論文の質を客観的に計測する方法がないこともあって、内容が問われることはほとんどない。

ただし同じ一本の論文でも、大学内の論文集（「紀要」）に載るよりも、その分野をリードする学会の論文集（「学会誌」）に載る方が、一般的には評価が高い。もっとも筆者のように、その年、一番自信のある論文は学内の紀要に投稿する学者もいるので、必ずしも学会誌の論文の方が質が高いとは言いきれないが、少なくとも学会誌の場合は「査読」と呼ばれる会員相互のチェック機能が働くケースが多く、あまりに稚拙なもの（あるいは高尚すぎて誰にも理解不能のもの）は掲載を拒否されるということはある。ちなみに現在では、学内の紀要にも査読システムを採用している大学が多くなってきている。

アメリカには論文の質を、ある程度、客観的に測る方法がある。アメリカでは「サイテーション・インデックス（citation index）」と呼ばれる文献が毎年発行されており、これを見ると、どの論文が他の研究者に何回くらい引用されたかがわかる仕組みになっているのである。

例えば一九九〇年に《American Sociological Review》という雑誌に掲載された論文があったとする。その論文が一九九九年度にしかるべきルールに従って発行されたすべての論文の中で何回引用されたかは、一九九九年度版の「サイテーション・インデックス」を見ればすぐにわかる。引用された回数の多い研究者は、このインデックスを示すことで、自分の論文がどれくらい学会で評価されているかをアピールすることが可能となり、自らを売り込む有力な武器になりうるわけである。

日本とはまったく逆の、量より質が問われる世界なのである。たまにはトピックの関係で、重要度のわりに誰からも引用されない論文もあるだろうが、同じ研究者仲間から引用されないようなひとりよがりの論文は、少なくともアメリカでは価値のないものとみなされている。

では、なぜ日本には「サイテーション・インデックス」がないのだろうか。ある時、この質問をその世界に詳しい知人にぶつけてみたところ、ウソかマコトか、次のような答が返ってきた。

「その提案なら何度も出たことがあるが、そのたびに有名国立大学の教授たちの猛反対にあってつぶされてしまった」

反対の理由は様々だが、一番の理由は、自分の論文について人からあれこれ言われたくないということだという。ウソであってほしいと思うが、それがウソであることを証明する一番の方法は、国立大学協会と文部省が推進している「大学の評価」の基準の一つとして、論文の質を客観的に点数化できる日本版「サイテーション・インデックス」を導入することであろう。期待してお待ちしている。

〈No data, (then) no paper.（データがなければ論文はないと考えよ）〉という言葉がある。アメリカの、特に社会科学の分野の教授や先輩たちがよく口にする警句である。

アメリカには、実証的根拠のない空虚な理論を経済政策や社会政策に採用したために、あたら公共財（税）を無駄に費やしてきたという、苦い経験がある。その反省から、これからは実証的裏付けのない、理論だけの論文はもうやめにしよう、大学院レヴェルでは特にそうすべきだ、ということになっている。論文を書くにはまず「データ」がなくては話にならない、ということである。

第5章でも触れるつもりだが、欧米には大学院生が気軽にアクセスできる汎用データが多量に存在している。しかもアクセスを前提に整備されているので、大学院生や若い研究者は、たいていの場合、自分の理論や仮説のラフな検証が容易にできるようになっている。

それにひきかえ日本の研究環境は、かなり控えめに言っても、あまり良いレヴェルにあるとはいえない。まず、研究者間でデータを隠し合う。そのため、論文を書こうと思えば、科学研究費がもらえない場合、特定の研究チームにメンバーとして入り込むか、自力（自費）でデータを集めなくてはならない。結論として、大先生から嫌われたらもう学者として生きる道を半分以上閉ざされたようなものなのである。

学者というのは、ひとたび認知されれば、ステイタスも高く、まわりからも尊敬される華麗な世界だが、学者（研究者）になるまでの道は、なかなか険しいのだ。

データを公開できぬわけ

社会科学分野の論文を書くにあたって、学者や研究者には一定のルールがある。「社会科学の方法論」と呼ばれる手続きで、学者が遵守《じゅんしゅ》すべき常識やルール、してはならないとされる違反行為などを集大成したものである。社会科学は「社会」を研究対象とするため、自然科学のような確定的な結論に達しにくいという事情はあるが、そのこと以外は自然科学と同じと考えてさしつかえない。わざわざ「社会科学の方法論」と呼ばなくとも、単に科学方法論でも一向に構わない。

第1章で見たような、とんでもない「ゴミ」が発生するのは、この方法論的な知識を踏まえていない調査が多いからである。大学や研究機関の学者たちであれば、こうした方法論ぐらい当然、理解しているだろうと思われるかもしれないが、実は相当あやふやな人もいるのである。中には、若い頃に受けた教育カリキュラムに問題があったため、無知なまま学者になってしま

年　齢	自民党	民主党	共産党	公明党	その他	小　計
20〜29	11	8	2	6	13	(40)
30〜39	10	10	5	2	23	(50)
40〜49	8	10	6	7	14	(45)
50〜59	15	5	8	6	11	(45)
60〜69	11	4	3	3	9	(30)
70〜	10	3	1	1	5	(20)
(小　計)	(65)	(40)	(25)	(25)	(75)	230

ったという気の毒な者もいるが、許せないのは、方法論を知っていながら（故意に）してはならないことをする学者たちである。

①思い込み

学者が知らず知らず（善意で）犯す間違いで多いのが、ある結論を証明したいという「思い込み」によるものである。自説の正しさを信じるあまり、ある方法論的なプロセスを（知らずに）省略したり、他の重要な要素を抜かしてしまうことから起こる間違いで、筆者を含め、ほとんどの学者が経験する過ちである。

例えば、甲という教授が「年齢別の支持政党には差がある」という仮説を実証したいと考えたとする（実際にはこんなに単純な仮説で悩む学者はいないが）。甲教授が二百三十人を調査した結果、上のような表ができあがった。

この教授には「年齢が高いほど自民党支持が増え、そのぶん他の項目は減る」という下部的仮説があったが、できあがった表からもなんとなくそんな気配がうかがえた。とはいえ、それが確定的であるかどうかは統計分析処理をしてみないとわからない。そこでカイ二乗検定と呼ばれる統計分析を行ったところ、この表に表われている偏りは「偶然の範囲である」という結論が出てしまった。つまり、仮説が否定されてしまったのである。

通常、社会学者は偶然に起こる可能性が五パーセント（二十回に一回）より少ないときは、統計的に有意である（偶然ではなく、ある偏りが存在する）と考えるが、このように六項目（年齢）×五項目（支持政党）の計三十もの升目（「セル」と呼ぶ）があると、統計値はなかなか偶然の範囲から脱却しない（詳細は省略するが、概念だけ把握していただきたい）。セルが少ない方が、ある偏りが偶然でないことを実証しやすいのである。

甲教授も、思ったような結果が出ないのはセルの数が多すぎるからだと考え、乙と丙という助手にセルを減らすよう指示した。そこで乙助手は、支持政党について自民党以外を「非自民」としてまとめることにし、上のような表を作成した。

支持政党項目を減らす（乙）

年　齢	自民党	非自民	小　計
20～29	11	29	(40)
30～39	10	40	(50)
40～49	8	37	(45)
50～59	15	30	(45)
60～69	11	19	(30)
70～	10	10	(20)
(小　計)	(65)	(165)	230

年齢項目を減らす（丙）

年　齢	自民党	民主党	共産党	公明党	その他	小　計
20〜39	21	28	7	8	36	(90)
40〜59	23	15	14	13	25	(90)
60〜	21	7	4	4	14	(50)
(小　計)	(65)	(40)	(25)	(25)	(75)	230

丙助手は逆に年齢の項目数を「20〜39」「40〜59」「60以上」の三項目に減らし、上のような表を作成した。さて、あなたは乙と丙のどちらが正しい手順だと思いますか？

どちらが正しいか正しくないかはしばらくおくとして、この二つの表のカイ二乗検定をやってみたところ、いずれもまたもやギリギリのところで有意な数字は出なかった。「これではいかん、こんなはずではない」と思った甲教授は、ついに乙と丙の表を統合することにした。次ページの表がその結果である。

幸い検定の結果は良好で、この偏りは「偶然の範囲ではない」とコンピュータも証明してくれたので、甲教授はこの図を論文に使用することにした。この年齢と支持政党の差が存在しないと、次のステップの仮説の前提がくずれてしまうところだった。

まずは、めでたしめでたし——といいたいところだが、実はちっともめでたくない。甲教授は「年齢別の支持政党には差がある」という初めに設定した仮説を実証するために、あの手この手の操作をくり返したにすぎないからである。もし甲教授の仮説が「年齢によって支持政党はあまり（統計的に明白なほど）変化しない」というものであったなら、こんなに苦労しなくても、最初の表の検定結果で検証できていたことになる。

いずれにせよ甲教授は、どちらの結果でも出せたわけである。この論文の場合、最終的に読者の目に触れるのは最後の表であり、たぶん甲教授も論文では、あたかも最初から（計画どおり）この表を作り、検証したかのように記述するであろう。

②アプリオリとアポステリオリ

甲教授のこのような操作は「後づけ論理」と呼ばれ、英語では「inductive（帰納的）」な論理構成を持っている、と表現される。つまりデータに合わせて、事後に理論が作られたり、因果関係を仮定したりする行為のことである。データをこねくりまわしているうちに意外な相関関係が見つかり、それをそのまま論文に書いたりする行為で、社会科学方法論的には正しい検証手順ではない。

それに対し、理論と仮説と検証プロセスがあらかじめ論理的に決められていて、それに従って検証することを「deductive（演繹的）」な論理構成と呼ぶ。自然科学の理論・検証プロセスを考えてもらうとわかりやすいが、例えば水（H_2O）を電気分解すると水素

「セル」をギリギリまで減少させた表

年　齢	自民党	非自民	小　計
20〜39	21	69	(90)
40〜59	23	67	(90)
60〜	21	29	(50)
(小　計)	(65)	(165)	230

と酸素とが二対一の割合で発生するはずだと考えて実験をし、その通りになればよしとする考えである。もしそこに窒素が混じっていれば、実験プロセスで何かミスを犯したか、もしくは理論が間違っていたことになる。

社会科学でも同じことで、事前にきちんと理論と仮説とその検証プロセスがあって、そのとおりのプロセスで検証された結果を見なければならない。

このように論理構成が事前に決定されている状況を「アプリオリ（a priori）」といい、事後になされるのを「アポステリオリ（a posteriori）」という。自然科学では理論どおりの検証結果が得られることが多いが、社会科学の場合は必ずしもそうとは限らない。社会科学は様々な一過性の邪魔が入りやすい「社会」を対象とするため、その検証には、より高度な論理構成が「アプリオリ」にできていなくてはならない。

とはいえ、データをこねくりまわして、そこに何らかの関係を見出そうとするのは決して無意味なことではない。「なぜ」を考えることは、次の仮説につながるからである。理論というのは、自然科学でも社会科学でも、えてして経験的な因果関係によって作られることが多い。その意味では、帰納的であり、アポステリオリなものだともいえる。

ただし、それを論文という形で検証するには、経験的に得られた理論（と仮説）をスタートラインにして、それに即したデータを集め、アプリオリに決められたやり方で検証する必要がある。

甲教授が一連の操作で犯した過ちの一つは、年齢と支持政党の項目数の設定を事後（アポステリオリ）に行ったことである。自説に固執するあまり、そのような操作をしたのであるが、それは正しい手順ではない。

もちろん助手の乙のやり方も丙のやり方も正しくないが、両者の間違いの程度は同じではない。どう考えても、民主、共産、公明と、無党派を含む「その他」をいっしょにして「非自民」とする感覚は正しいとは言えない。自民と非自民に分けるなら、仮説の段階からそうすべきであり、その意味では、仮説を変えなくても通用する丙のほうがまだましということになる。

意図した結果が出ないからといって、論文にならないということはない。というよりも、特定の理論と仮説に従ってアプリオリな計画で検証をスタートさせたのであれば、意図せざる結果も論文に含めるべきである。なぜなら、一定の論理構成に従ってそうなるはずの結果が出なかったという事実自体が、学問の進歩に寄与できるからである。

社会科学では、同じ正しい手順で行われた調査であっても、必ずしも同じ結果が出るとは限らない。「社会」というのは常に地理的、時間的に動いているからである。

例えば「通貨供給を五パーセント増やせば半年後に失業率は三パーセント減るはずだ」と考えて通貨供給を増やしたとしても、産業構造の異なる社会には通用しないかもしれないし、半年の間に天災に見舞われることもありえる。場合によっては、かえって失業率が増えることだってあるかもしれない。しかし通貨供給を五パーセント増やすことを二十回くらいくり返して、平均三パーセント程度の失業率のダウンがあれば、それは正しい理論であろうという蓋然性ができる(「理論の一般化」と呼ぶ現象)。

前述した水の電気分解を例にとれば、理論上は窒素が存在するはずがないのに、何人もの人が同じ実験を何度くり返しても、やはり窒素が存在していたとする。その場合、自然科学においては、その理論自体が間違っていたことになる。そうなると、今後は実験結果に適合する仮説が帰納的に考えられ、それを演繹的に検証していくことになる。

ところが社会科学では、前述したように、理論が正しくても同じ結果が出るとは限らないし、逆に理論は正しくなくても一定の結果が出ることもある。社会科学というのは、自然科学以上にアプリオリな計画を持っていなければ、何でも証明できてしまうという危険性を孕んでいるのである。そして実際、都合のよいデータと後づけ理論で、本当は正しくないことまで理論として通用してしまっているのである。例えば「生まれた星座と結婚の相性」などあるはずがないのに、ある種のデータはそれを証明したと主張するように。

③データの公開

これまで、学者の共通語として「科学方法論」というものがあることをくり返し説明してきたが、その中の一つに「他人が行った検証を追試してもよい（というより、すべきである）」という不文律がある。ある学者が行った実験なり調査なりは、その全プロセスを聞き出して、自分で再検証することが可能なのである。その学者が検証に用いたデータの公開を求めることもできる。

特に自然科学においては、《Nature》とか《Scientific American》といったポピュラーな専門誌に限らず、一般に追試可能性のない論文は頭から拒否される。つまり、データの公開は義務となっているのである。社会科学の分野でも、欧米の著名な学会誌はすべて同様である。この共通語を話さない先進国が一つだけ存在する。日出づる処にある社会科学界である。むろん例外もないわけではないが、ほとんどの日本の学者はデータ公開を拒否して構わないと考えており、実際、そのように振る舞っている。

データ公開拒否の理由は、「プライヴァシーを守る義務があるから他人には見せられない」「統計法のせいで公開できない」「私の資金で集めたデータだから他人には見せない」「めんどくさい」など様々だが、陰の、そしてそれが本音であるところの理由は、「恥ずかしくて見せられない」のである。

統計法というのは、公的団体が集めたデータの公開を制限する法律のことだが、なんのことはない、データを独占しているグループ（一部の「顧問」とか「委員」という名の有名教授たち）にとって現状維持が一番都合がいいだけのことである。他の理由も理由になっていない。九割以上は「恥ずかしくて見せられない」だけである。

一応、学者であれば、データ自体がずさんなものや、数量分析の正しくないプロセスを発見することが可能である。ケチをつけようと思えば、いくらでもつけられるわけで、特に追試の請求は、競争相手から出されることが多い。うっかりデータを公開すれば批判される可能性が生まれる。一番いいのはデータを見せないことだ、ということになるわけである。

④不正――データ捏造《ねつぞう》と剽窃《ひょうせつ》

研究者や学者に限らず、誰であれ人間としてやってはならないのが不正行為である。学術関連でいえば「データの捏造」と「剽窃」がその代表である。これを行った者は、以後、誰からも相手にされなくなっても文句は言えない。

「データ捏造」は、科学社会が拠って立つ根本を危うくする、もっとも悪質な行為の一つである。この行為には、単にニセのデータを作り出す以外に、論理的背景なしに一部の都合の良いデータだけを使ったり、その逆に都合の悪いデータを故意に隠すことも含まれる。一九九九年に起こった高浜原発四号機でのプルトニウムとウランの混合酸化物（ＭＯＸ）燃料の検査データが捏造されていたことが指摘された事件（「朝日新聞」一九九九年十二月十六日）などがこれに当たる。

官公庁の中には、自分たちしか調査できない立場にありながら、汚染情報やデータを公開しないところがあるが、こうした行為も広い意味でのデータ捏造に入る。

島根県は中海・宍道湖淡水化事業に関し、八年間にわたって実測していながら、何の理由もなく三年分のデータのみで分析した結果を公表したが（「朝日新聞（夕刊）」一九九五年一月十四日）、これなども重罪に値するケースである。

「剽窃」とは、他人の文章やアイデアをあたかも自分のものであるかのように発表する行為のことで、いわば知識のドロボーである。他人の文章を出典を明示せずに引用するのも、横文字をただ縦にするだけのこと（海外の出版物のアイデアを自分の考えであるかのように発表すること）も、広い意味での剽窃にあたる。また他人の論文の一部を前後の脈絡と異なるトーンで引用する、いわゆる「いいとこ取り」も、不正の範疇に入る。

ところで、たまたま研究トピックが同じであったため、同じような結論になったというケースがままある。その場合、当然ながら文章も似かよったものになるが、どちらが先かを決める境界があやふやなため、盗んだ、いや盗んでいない、の水掛け論になることが多い。

筆者のアイデアや文章も何度か盗用されたことがあるが、そのうちの何人かは素直に認めたものの、何人かには居直られた。筆者の場合は、そういう連中を相手にする時間がもったいないので、相手が学者や公的肩書きのない場合は無視することにしている。

そのような事態が起こらないようにするには、ともかくできる限り出典を明らかにする習慣をつけることである。将来、前に述べたような日本版「サイテーション・インデックス」が誕生した場合は、何よりもまず正しい引用の方法論からスタートすべきであろう。

学者の論文を格付けしよう

日本版「サイテーション・インデックス」ができるまで時間がかかるというのであれば、せめてそれまでの間、「学術リサーチ（格付け）協会（仮称）」のような機関を作ってみてはどうだろうか。この機関は次のような機能を持つものとする。

★学者の調査と論文を以下の基準で格付けする（最後の⑤と⑥はジャッジの投票によって五段階で評価する）。

①論文は査読を受けているか／発行部数、範囲
②検証プロセスは追試可能か（データは公開されているか）
③引用は正しくなされているか
④サンプルなどの調査方法はしっかりしているか
(a)サンプリング（抽出）方法

(b)有効回答率
(c)総数
(d)母集団
⑤数量化、分析
⑥理論と仮説の構成
★(申請により)矛盾した結果の複数論文の判定を行う。
★「評論家」などの肩書きを以下の基準で格付けする。
①その者の書いた論文の質と内容
②その者の書いたその他の記事、文章など(①②ともジャッジの投票による)

最初から順に補足しておく。まずは学者の調査と論文の格付けであるが、むろんすべての論文がこのやり方で判定できるわけではない。より細分化された分類と形式が必要であることは論を待たない。例えばエッセー形式の論文などは、いかに上質なものでも評価の対象にはならない。一方、データを使った論文であれば、どんなゴミデータに基づくものであっても、評価の対象となりうる。

二番めの「論文の判定」は、時代の要請でもある。例えば従軍慰安婦の軍部による強制連行問題（挙証責任がどちらにあるかも含めて）や、南京で殺された人数などについてはいまだに水掛け論のままだし、筆者のトピックでもあるギャンブル場（カジノ）を作ったときの犯罪の増減や、ダイオキシンの毒性についても、矛盾する結果がいくつも存在している。

このような問題に対し、公平で客観的な事実認定が可能になることは、歓迎すべきことである。もっとも、この「客観的」というのがなかなかのくせもので、ある意味では夢物語でしかないことも確かである。とはいえ、先に挙げたような問題においても、少なくともどちらかが準拠する論文がゴミであるかどうかを判定することは可能である。

三番めの「評論家などの格付け」に関しては、格好の例がある。かつて、味の素を大量に摂取すると頭が悪くなる、という内容の論文が出版されたことがあった。この論文は、のちに科学的にも方法論的にもより優れた、複数の論文によって否定されているが、にもかかわらず、いまだにそれを論拠に誤った説を唱えている者がいる。例えば『買ってはいけない』の執筆者である。

このケースでは、一方もしくは両者からの請求があれば、味の素の毒性の実験について黒白をつけることも可能である。いわば「論文ディベート裁判」のようなもので、委員は記名で判定を下し、その根拠も発表される。その場合、審査の費用は負けた方が支払うようにもできる。

それはさておき、『買ってはいけない』の著者の一人に「科学評論家」を名乗る渡辺雄二なる人物がいる。彼は「週刊朝日」一九九九年九月三日号の「『買ってはいけない』どこがインチキだ」と題する記事の中で日垣隆と論争しているが、彼の「ヤマザキパン論争」はかなりウサンくさいものであった。

そこで、『買ってはいけない』と日垣の著書『「買ってはいけない」は嘘である』（文藝春秋）とを読み比べてみた。結論をいえば、少なくとも学会誌のジャッジを任されていた経験のある学者としての判断では、これは渡辺の完敗である。まともなディベートの手順を知っている学者であれば、十人が十人、日垣に軍配をあげるに違いない。それでもなお平然と居直り、論点を故意にずらしたりスリ替えたりして負けを認めようとしないのは、はっきり言って醜悪である。

このような論法は左翼知識人といわれる人々がしばしば用いたレトリックであるが、そこにあるのは学問の進歩とはほど遠い、自らの非を決して認めようとしない傲慢な精神である。間違いは間違いとして素直に認めれば良いのである。間違いは誰にでもあることであるから、それ自体は決して恥ずかしいことではない。恥ずべきはウソをウソで隠そうとする精神である。

自称か他称かは知らないが、これほど科学的マインドと無縁な者に「科学評論家」を名乗ってもらいたくない。科学知識の無知ぶりもさることながら、そもそも自分の言い分を通すためなら、科学の進歩を邪魔しても平気だという根性の持ち主が「科学評論家」を僭称することが問題なのだ。宗教家が「宇宙の科学」を解説するより、もっと悪質である。

評論家を厳密に格付けするのは不可能に近いが、それでも明白な「クズ評論家」の判定は可能である。マスメディアは「学術リサーチ協会」によって「クズ評論家」と認定された者には「評論家」の肩書きの使用を許すべきではない。いい加減にマスメディアたちも、無責任な自称評論家の勝手な評論を垂れ流すのはやめて欲しい。少なくとも学術機関で「○○評論家」の価値ありと認定されない者には、学術的な仲間であるかのような肩書きを名乗らせないでもらいたい。

第4章　さまざまな「バイアス（偏向）」

人は忘れる、ウソをつく

初めて大阪府知事に就任してから一年後の一九九六年四月、山田勇（横山ノック）知事に対する評価アンケートの結果が読売新聞に掲載された。

《「ノック知事64％支持／就任1年『無党派でよい』71％」

［質問と回答］

◆Q1　山田勇（横山ノック）知事を支持しますか、支持しませんか。

・支持する　53・7

・どちらかといえば支持する　10・7

・どちらかといえば支持しない　4・9
・支持しない　15・0
・どちらとも言えない　14・8
・DK・NA　1・0

◆Q2　昨年4月の知事選挙では、だれに投票しましたか。

・横山ノック　43・1
・平野拓也（自、進、社、さ、公推薦）　9・5
・小林勤武（共推薦）　4・8
・橘高明、芝谷英夫　0・2
・白票　1・2
・棄権　24・7
・DK・NA（選挙権なし、忘れた）　16・6

◆（Q3以下略）》（「読売新聞」一九九六年四月二十日）

山田勇府知事は一九九九年の選挙で再選されたものの、セクハラ疑惑が発覚、辞任に追い込まれたが、これはそれ以前、一期目の一年が終了した直後の調査結果である。調査は大阪府の有権者千六百人を対象に行われた。

数字を見ると、当時はノック知事もけっこう人気があったんだなあと思うが、それとは別に社会調査論を教える者から見ても、こんなおもしろい題材はない。早速、一期目当選時の新聞を引っぱり出してみた。ウソをついている人の割合を調べるためである。一年前の投票の結果は次のとおりである。

【知事選の確定得票（大阪府）】（一九九五年四月十日各紙より）

当	横山ノック	無新	一六二五二五六
	平野拓也	無新	一一四七四一六
	小林勤武	無新	五七〇八六九
	芝谷英夫	無新	二一三五六
	橘高明	諸新	四五四八

ちなみに、この時の投票率は五二・六二パーセントであった。知事就任一年後の読売の記事では、例によって何人かの大学教授たちがしたり顔で解説しているが、この二つの結果の矛盾点に言及した者は一人としていない。

まずは選挙での得票数に注目していただきたい。ノック候補が百六十二万五千二百五十六票であるのに対し、平野拓也候補は百十四万七千四百十六票で、ノック候補、平野候補、それぞれに投票した人の割合は七対五である。ところが、その一年後に行われたアンケートの「Q2」の回答では、ノック候補に投票した者は全体の四三・一パーセント、平野候補に投票した者は九・五パーセントで、ノック候補に投票した人は平野候補に投票した人の四・五倍以上になっている。

まず言っておきたいのは、基本的に人間というのは、忘れ、そしてウソをつく動物であるということである。例えば選挙前に行われる調査では、毎度のように七割前後の人が「必ず投票に行く」と答えている。「なるべく行く」を含めれば九割程度が投票に行っている計算になるが、実際に投票に行った人の割合は、「必ず行く」と答えた人の割合より二割ばかり下まわっているのが実情である。

人間の記憶に関しては、いくつかのおもしろい調査がなされている。もともと存在しない出来事ですら本人の記憶の中に生まれ、形成されてゆくことは、ジョン・コートルの著書『記憶は嘘をつく』(講談社)の中に、数多くの例とともに紹介されている(他に「サイエンス」一九七五年二月一日号のR・バックホートの記事もお勧め)。社会調査を行う者は、まずもって人間のあやふやな記憶を相手にしていることを前提にして、計画をスタートしなくてはならないということである。

記憶が不確かなだけではない。その上、人はウソまでつく。ノック知事就任一年目の調査例でもわかるように、人間というのは、投票に行ったか行かなかったか、誰に投票したか、といった、人に知られてもどうということのないような質問にさえ、「オレは勝ち馬に投票したんだ」とウソをつく。そうである以上、他人に知られたら本人に重大な影響を与えるような質問の場合は、「人はウソをつく」ことを前提にして調査する必要さえあるのである。

一年前のことであれば、中には本当に忘れたり、勘違いする人もいるかもしれない。しかし一九九八年に行われた参院選挙の数日後に読売新聞が行った調査を見ると、記憶の問題ではなく、明らかにウソをついていることがわかる。

このアンケートの質問は、次のようなものであった。

「この前の日曜日に行われた参議院選挙で、あなたは、投票に行きましたか、行きませんでしたか。」（「読売新聞」一九九八年七月十七日）

実際に投票に行った人は五八・八四パーセントであることがはっきりしているにもかかわらず、この質問に対し「行った」と答えた人が八四・三パーセントもいたのである。こうなるともう、ただのウソと考えた方がよい。ちなみに読売新聞は朝日新聞同様、きちんとしたサンプリングを行っており、回答者に関する偏向はそれほどないと考えられる。

この章では社会調査における「さまざまなバイアス」を紹介する。「バイアス（bias）」という言葉は「偏向」と訳されることが多いが、要するに本当の姿からの「ズレ」を表わしたもので、社会調査のすべてのプロセスは、このバイアスの連続体だと言っても過言ではない。逆に言えば、社会調査方法論とは、いかにすればこのズレを最小にできるかを追究するための方法論のことで、完璧な調査などありえないという視点からスタートする。ある程度、現実に近いものができればよしとする考えである。

このバイアスは、理論から仮説に至る「モデル構築」と呼ばれるプロセス、そしてそのモデルに従ってデータを収集し分析に至る「リサーチ・デザイン」と呼ばれるプロセス、最後に結果を公表する「プレゼンテーション」プロセスの計三つの大きな流れの中で、優に三ケタに達する数が存在する。全部を説明することはとても無理なので、本章では有名なバイアスについてできるだけ多く説明していきたい。

「モデル構築」はバイアスの巣

「アンケート調査でもやって、実態を調べてみてから議論しましょう」といった程度で始めた調査にロクなものはない。確固たる目的も理論上の背景もなく行う調査では、まともなものになりようがない。そもそも調査をする人自身に「何を知りたいのか」がわかっていなければ焦点が定まらず、「それがどうした」といった程度の結論しか導き出せないのである。

調査をする者は、過去の論文や研究、理論、またはひらめきなどによって、まず何らかの仮説を持つことが必要となる。その仮説は、特に社会科学者の場合、複数の変数間の因果関係を含んだ、簡略化されたモデルとして図式化されるが、このいくつかの仮説を含むモデル全体を「因果モデル」と呼び、このモデルを作成する作業を「モデル構築」と呼んでいる。モデル構築はバイアスの巣のようなものである。

社会科学における検証プロセスが演繹的（deductive）になされるべきことは、前に述べたとおりだが、それ以前に、社会の観察や経験、または過去の研究などにより、「ある変数とある変数との関係が深い」ということが判明している場合がある。その前提的事実を「因果モデル」に組み込む作業過程で、よく犯される間違いがある。それは、ある変数と変数の関係が「相関関係」にすぎないのに、「因果関係」が存在すると早合点してしまうことである。

これは重要なことなので、少し難しいかもしれないが可能な限りの解説を加えておきたい。

①相関と因果
相関関係と因果関係とは、次のような定義を持つ。
★相関関係：変数の一方（X）が変化するにつれ、他の変数Yが同時に変化する関係（記号で〔Ⓧ↔Ⓨ〕と書く）

★因果関係：変数の一方（X）の変化が、他の変数（Y）の変化を引き起こす、原因と結果の関係（記号で〔Ⓧ→Ⓨ〕と書く）

両者はよく似ているが、「相関関係」ではどちらが原因で結果かは不明で、時間的にどちらが先行するかはわからない。「因果関係」においては「原因」となる変数と「結果」となる変数が明確化され、時間的にも原因（X）が結果（Y）に先行する。

二つ以上の変数間に因果関係が存在するとき、その変数間には相関関係が存在するが、逆は必ずしも真とは限らない。つまり、ここが重要なところだが、相関関係があっただけでは因果関係があるとは結論付けることができない。相関関係は、あくまでも因果関係の前提に過ぎないのである。

さて、二変数「イ」「ロ」の間に相関関係（イ↔ロ）が存在しているものとする。その場合、モデル構築上の可能性は、次ページの図に見られるように、いくつも存在する。

これらの可能性のすべてについて説明することはできないし、またその必要性もないと思うので、とりあえずこのうちの、重要と思われる四つについてだけ説明しておきたい。

②逆方向の因果（可能性3）

これから説明する例は架空の調査であるが、よく似た調査としてスタンフォード大学のミカ

【相関関係と因果関係（モデル）】

変数イと変数ロの間には相関（一方が変化すれば、他方の変化はランダムではない）関係がある時。

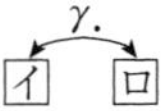

可能性1.　調査方法の問題（サンプル数、母集団など）

可能性2.　イがロの直接原因

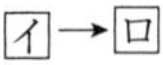

可能性3.　ロがイの直接原因

可能性4.　イとロが相互に影響

可能性5.　イがロに間接原因

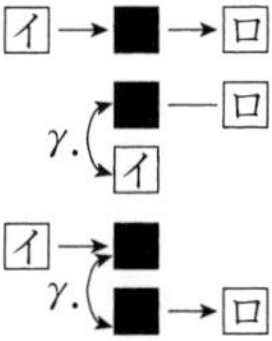

可能性6.　イもロも第三変数の結果

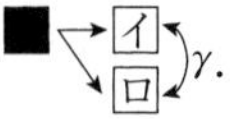

可能性7.　上記1～5の組み合わせ

可能性8.　循環因果（計測不能）

可能性9.　単なる偶然／見せかけの相関（特に時間軸を使用する場合）

エラ・キルナン博士らによる事例が報じられている（「朝日新聞」一九九八年九月七日）。

《「**ダイエット食品は減量に役立つか**」

ダイエット食品の効用に疑問を持ったマリエ・アンゾ博士は、ランダムに選んだ男女一〇〇〇人ずつ、計二〇〇〇人に一日に食べるダイエット食品の回数と量を尋ねてみた。ついでに各自の肥満度〔(身長－体重)÷110〕も測定してみた。その結果次のことが判明した。

(a)ダイエット食品を食べる回数が多ければ多いほど、肥満度が高い。

(b)ダイエット食品を食べる量が多ければ多いほど、肥満度が高い。》

結論としてマリエ・アンゾ博士は、ダイエット食品はあまり効果がないばかりか、逆の効果が観察されると発表した。さて、この調査はどこがどうおかしいか。ここで最低三十秒ほど考えてもらいたい。

いささかトリッキーなワナが仕掛けられている例だが、答は次の通りである。

「単に太りすぎの人がダイエット食品をよく食べていただけだった」

二つの変数（この例では「ダイエット食品の摂取回数（量）」と「肥満度」）の間に相関が見られるとき、この例のように「×××であるほど△△△であった」というような因果を模した書き方をされると、いかにも前者が原因で後者が結果のような気がするものである。実はこの種の、因果関係を逆に考えてしまうモデルは思ったよりも多い。

マーチン・ガードナーは《The Paradox Box》（日本経済新聞社、一九七九年）の中で、次のような例を紹介している。

〈「統計によればアリゾナ州は他の州よりも肺結核で死ぬ人が多いそうです。これはアリゾナの気候が結核にかかりやすいと言うことになるのでしょうか？」

「まったく逆です。アリゾナの気候は肺結核にかかった患者が療養するのにおあつらえ向きなので、こぞってアリゾナに行くのです。当然ながら肺結核で死ぬ人の平均値が大きくなるというわけです」〉（一〇三ページ）

日本経済新聞に「甲南大卒が35人でトップ／兵庫県内の社長さん」（一九九三年）という記事が載ったことがあるが、これも同じことで、甲南大を出たから社長になったわけではなく、たまたま甲南大学は社長になるはずの人間（社長の長男など）がよく行く大学であったに過ぎない。因果関係が、まるで逆になっているケースである。

もう一つ、例を示しておきたい。

《「40代出産女性は長寿／米大学が発表／ホルモンが影響？」

【ワシントン10日＝共同】四十歳代で出産した女性は長生きする傾向にある、と米ハーバード大学のトーマス・パールス博士らの研究グループが十一日発行の英科学誌ネイチャーに発表した。女性ホルモンが影響しているらしい。／同博士らは、一八九六年に生まれ、百歳を超えて現在も長寿を誇っている七十八人の女性たちと、同じ年に生まれて七十三歳で死亡した五十四人の女性を比較した。／その結果、七十三歳で死亡した女性の中で四十歳代で出産したのは約六％だったのに対し、百歳以上の長寿者のうち四十歳代で出産した女性は約二〇％もいた。調査対象の女性は全員、米ボストン周辺に住んでおり、出産年齢のほかに寿命に影響を与えそうなほかの要因はなかったという。／パールス博士らは「高齢出産すると、必ず長生きするとわかったわけではない」としている。》（「日本経済新聞（夕刊）」一九九七年九月十一日）

なかなか面白い結果ではあるが、いかんせんサンプルが少なすぎる。そもそも、七十八人の二〇パーセント（十五〜十六人？）と五十四人の六パーセント（三人？）の女性が高齢出産していたということに何か意味があるのだろうか。それはともかく、ここまで読んでこられた皆さんの頭には、次のような疑問が浮かんでいるのではなかろうか。

「百歳まで生きられるほど元気な人だったからこそ、高齢で出産できたのではないか」

つまり、見出しが示唆する因果関係は、実は逆ではないかという疑問である。「ネイチャー」

誌はきちんとした査読システムのある、その世界ではもっとも信頼されている論文誌だが、それにしてもまたヘンな調査が採用されたものである。

ここで、「女性は全員、米ボストン周辺に住んでおり、出産年齢のほかに寿命に影響を与えそうなほかの要因はなかった」という部分に注目してもらいたい。実は、これは大変重要な意味を含んだ部分で、それについては次のバイアスの項で説明することにする。

見せかけの相関

③隠れた変数／真の原因（可能性5）

具体的な日付は忘れたが、数年前、ＮＨＫ夜七時のニュース番組で、次のようなニュースが流れたことがある。

《コーヒーを一日に三杯以上飲む人は、飲まない人に比べて、心臓病で死ぬ確率が三倍以上に上ることが、Ｃ大学（関東地方）医学部の××教授の調べでわかった（カフェインの取り過ぎによるものと思われる）。》

日付だけでなく数値まであやふやで申し訳ないが、主旨は間違っていないはずである。

さて、このニュースを見た人のほとんどは、〈カフェイン→心臓病〉という因果関係を想像したに違いないと思われるが、筆者はすぐに、ある疑問を抱いた。そこで問題。それでは筆者が抱いた疑問とは、一体、どのようなものだったでしょうか（三十秒！）。

解答。それは「果たしてこのC大学の教授は、砂糖についてもコントロールしたのだろうか」という疑問である。「コントロールする」とは「影響力を排除する」という意味だが、これについてはのちほど詳しく説明する。

筆者の記憶では、NHKのニュースには「カフェイン」という言葉はあったが「砂糖」という言葉はなかった。コーヒーに砂糖を入れる人は多い。ひょっとしたらカフェインよりも、砂糖の方が心臓に悪い可能性だってある。糖分の取りすぎが、太りすぎその他の健康障害を引き起こすことは周知の通りである。つまり〈カフェイン→心臓病〉か〈砂糖→心臓病〉か、どちらが正しいかは、これでは決定できないわけである。

では、〈カフェイン→心臓病〉を証明するにはどうすればよいのか。

それには、まず「砂糖の影響」を消す必要がある。それが「コントロール」の意味である。まず一日にコーヒーを三杯以上飲む人に、砂糖（気になるならミルクも）を入れるかどうかを尋ね、ブラックで飲む人と砂糖入りで飲む人の群に分ける。その上で心臓病のパーセンテージをチェックし、その結果を、コーヒーを飲まない人の平均と比較するのである。

自己申告による大阪府高校生の犯罪および非行頻度（過去6カ月）
――年齢および学年別――

	第一学年		第二学年		第三学年	
	15歳	16歳	16歳	17歳	17歳	18歳
犯罪行為*1（回数／6カ月）	3.0	3.8	4.7	5.1	2.6	2.5
非行行為*2（回数／6カ月）	13.1	16.2	21.6	21.6	25.9	28.4
（対象数）	(177)	(217)	(177)	(203)	(153)	(189)

*1：万引き・窃盗（200円未満）、万引き・窃盗（200円～5000円未満）、万引き・窃盗（5000円以上）、器物破損、自転車／バイク盗、暴行／傷害（軽度）の6種類。
*2：喫煙、飲酒、家出、パチンコ、成人映画／ストリップ、公営賭博などの一定年齢以上には禁止されていない行為。

このように、表面上は相関関係が認められたとしても、他の影響を排除した同じ条件下で比べなくては（他の変数をコントロールしなくては）、ターゲットとする変数の効果は決定しえない。先に紹介した高齢出産のケースで「寿命に影響を与えそうなほかの要因」という言葉にこだわったのも、実はこのことを言いたかったからである。

直接の因果関係がないにもかかわらず、長らく強い直接の因果関係があると信じられていたものに、「年齢」と「非行」の関係がある。実際に「非行」と因果関係があるのは「年齢」ではなく、年齢とほぼ同じといってもよい変数「学年」であることが判明したのは、一九八九年のことである。手前ミソになるが、筆者の分析による。上の表を見ていただきたい。この事実は、意外に単純な分析で判明する。

これは、高校生の非行や犯罪の平均回数を、学年と年齢によって同時にクロス集計したものである。「非行行為」と「犯罪行為」の実行定義などについては、この際、無視してもらうとして、表を見て判明することは、(a)学年が違えば、年齢が同じでも非行・犯罪の平均回数は（まるで）異なる、(b)学年が同じならば、年齢が違っても非行・犯罪の平均回数は（ほぼ）同じである、の二点である。結論として、非行・犯罪の回数を決定する真の要因は「年齢」ではなく「学年」であることがわかる。

これを図で示すと、従来、信じられていた〔年齢→非行〕というモデルは、正しくは、

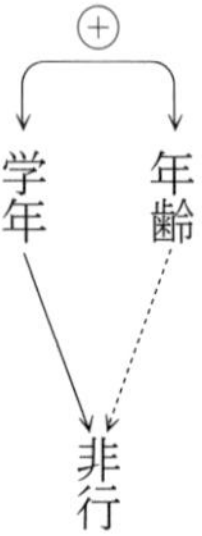

という因果モデルだという結論になる（図の⊕は強い相関関係を示す）。

ちなみに筆者が「年齢」でなく「学年」に注目したのは、学生たちの生活のリズム（例えば、クラブ活動や修学旅行、受験勉強のスタートなど）は学年によって決まるのであって、年齢によってではないという仮説に基づいている。

この例では、従来、存在したはずの「年齢」から「非行」への強い因果の矢印（↓）は、本当の原因が判明した時点で、もはや存在しない（「……→」で示されている）。つまり年齢と非行との相関関係は〔年齢↕⊕学年→非行〕という、やや遠回りの因果関係モデルに変化したわけ

である。

このように、表面上は誰も疑わないような因果関係であっても、真の原因となるそれ以外のよく似た変数が隠れている場合もある。こちらはコーヒーの砂糖の例と違って、罪のない間違いであるし、実際、年齢と学年がほぼ同じ性質の変数であるという点で、「年齢」が「非行」の原因である、という言い方も間違いというほどのことではない。

④スプリアス効果（可能性6）

先に触れた「キレる食事と非行」の例を思い出してもらいたい。あの例では「ジャンクフードを食べる頻度」と「非行」との間にある相関関係は直接の因果関係ではなく、どちらも同じ一つの変数（「親の子育ての手抜き」）からの結果にすぎない可能性が高いと説明した。このように、複数の変数の表面上の相関関係が、どれも一つの共通の原因から生じた結果にすぎないということが間々ある。これを「スプリアス効果（spurious effect）」という。

スプリアス効果のわかりやすい例として、家にある「灰皿の数」と家族の誰かが「肺ガンにかかる率」の関係を考えてもらいたい。「灰皿」が「肺ガン」を引き起こすわけでないことは誰にでもわかるだろう。逆に「肺ガン」になるとむやみやたらと「灰皿」を集めたがるわけでもない。どちらも「喫煙習慣」からの結果にすぎない。つまり〔灰皿↔肺ガン〕という相関関係が証明されたとして、両者の間に因果関係はありえない。実際は、

という図式であったわけである。

最近の総務庁の調査の例を一つ。

《**「暴力ＴＶ、子供に影響／なぐる・ける…と相関／小中学生を総務庁調査」**
テレビ番組で暴力シーンを見ることが多い子供ほど暴力行為や、万引き、喫煙など非行・問題行動に走りやすいことが、総務庁の調査結果で明らかになった。（後略）》（「朝日新聞」その他。一九九九年十月三十一日）

いつも不思議に思うのだが、このような調査を計画し、勝手な結論を出しては新聞社などのマスコミに流す人間というのは、いったい何を考えているのだろう。特定の意志（悪意）があってのことなのか、それとも単に頭が悪いだけなのか。ただ「相関があった」と言えば済むところを、「○○が××に影響」などと証明もできていないことを発表するのは、総務庁が調査に詳しい人間を何人も抱えていることを勘案すると、何らかの目的を持って民衆を騙すためではないかとも思われてくる。

普通の感覚であれば、見出しのような〈TVの暴力シーン→子供の非行〉といった因果モデルよりも、次のようなモデルに思い至るものである。

★親の育て方──→子供の暴力的な性格
　　↗暴力的なTVをよく見る
　　↘暴力・万引きなどの非行

または、

★すぐ、なぐる・けるような性格──→暴力TVをよく見る

もちろん、この図式も仮説にすぎないが、要するに「暴力的TV」をよく見ることが「暴力や万引き」を引き起こすと結論づけることが、いかに乱暴なことであるかがわかってもらえればよいのである。

⑤単なる偶然

複数の変数間に相関関係が存在する時、因果モデル的に多くの可能性が存在することは、これまで述べてきたとおりである。ところが、存在すると思った相関が、実は「単なる偶然」だったということもある。しかも、こうしたケースは結構多いのである。

社会科学における統計的な有意さは、通常、九五パーセントに設定されている。つまり偶然は五パーセント以下ということになるわけだが、ということは二十回に一回程度は偶然があってもおかしくないということでもある。

純粋な偶然以外にも、時間的変化を考慮した場合（時間軸を設定した場合）、二つ以上の異なる事象（変数）間に、その事象同士には何の関係がないにもかかわらず、相関が生ずることがよくある。こうした例なら、ありすぎて困るほどである。

ありすぎて困る中から、筆者が教える学生から何度か質問のあった事例を紹介する。彼（彼女）らの恐怖を取り除くためである。

《「若者の9割が精子異常／ジーンズ派の6割が精液量過少症／ハンバーガー派の8割が精子奇形／生活習慣大きく影響」

（前略）同クリニックは5月から10月にかけ、大阪府などに住む19歳から24歳までの健康な男性60人の精液を検査。食生活、衣服などの生活習慣もアンケートした。／精子の奇形が10％以上あると不妊の原因ともなるが、60人中56人、93％が奇形率10％を超えていた。／また精液の量が少ない精液量過少症は43％、精子数が少ない乏精子症が40％に上り、同クリニックで診療を受ける患者の平均値よりもやや悪かったという。／生活習慣では「ストレスに弱い」と答えたうちの61％、「ジーンズをよくはく」の62％が精液量過少症で、「ハンバーガーをよく食べる」と答えた77％に精子奇形率が高い傾向があった。／西原薬剤師は「健康とされる若い男性に精子奇形や精液量過少が多く、驚いている。今後も継続して調査したい」と話している。》

（「報知新聞」一九九八年十一月十二日）

なかなか笑える調査記事ではある。筆者はジョークと受け止めていたのだが、何人かの学生はすっかり真に受けてしまったようだった。『買ってはいけない』（前出）の三人の著者の一人、船瀬俊介もこの調査を信じ込んでいるようで、ハンバーガーを攻撃する論拠に使っている（『買ってはいけない』三三ページ）。

スペースの無駄を承知で、念のためこの調査で気のついた点を列挙すると、次のようなリストになる（ただし一番言いたいことはリストには含まれていない）。

★たった六十人で何がわかるか。百人以下の数字でパーセント表示するべきでない。

★精液の検査方法は過去から一定でない。現在は器具の向上により、奇形を発見することが容易になっている。

★若者の九三パーセントに精子奇形があるとのことだが、ハンバーガーをよく食べる人の七七パーセントにしか精子奇形がないのであれば、むしろ少ないといえるのではないか。

★そもそも何パーセントがハンバーガーをよく食べたり、ジーンズをよくはくと答えたのか。

★（仮に）三択の質問だと仮定して、「ストレスに弱い」と答えた人が三分の一の二十人いたとすると、その六一パーセントなら十二人である。精液量過少症は四三パーセントだから六十人中二十六人として、残り四十人のうち十四人が相当する。二十人のうち十二人と四十人のうち十四人が精液過少症としても、統計的に有意でない。
★若い男性以外をまるでコントロールしていない。
これほど短い文章の中にさえ、これだけの問題点があるのである。生活習慣の変数をもっと増やせば、おそらくあらゆるものに、何らかの関係が認められるに違いない。筆者が一番言いたいのは、まさにそのことである。

つまり、ハンバーガーでなくて、納豆でもミルクでもみそ汁でも何でもよいのである。例えばみそ汁をよく飲む人が三十人いれば、少なくとも二十六人が精子奇形のはず（六十人中五十六人が精子奇形なので、精子奇形でない者は多くとも四人しかいない）で、この場合、精子奇形は八七パーセント（！）になる。もっと恐ろしいのは、みそ汁をあまり飲まない残り三十人の精子奇形は一〇〇パーセントになってしまうことである。

ジーンズについても同じことがいえるわけで、Tシャツでもモンペでも、似たような数字が出るはずである。仮に精子の奇形率が上がっているのが本当だとしても、ハンバーガーやジーンズが原因だとする論は何も証明されていないのである。

筆者が初めて犯罪社会学会に出席した時、戦後の子供たちの「体格の向上」と「非行」とは同じような上昇カーブを描いており、年度ごとの上昇率には相関が認められる、という発表を聞いて驚いたことがある。幸いある質問者が「単なる偶然ではないか」と質《ただ》してくれたが、このような論が許されるのであれば、戦後の「紙おむつの消費量」も「ウィスキーの販売量」も「シラミの少なさ」も、すべて「非行」と相関を持つことだろう。「学会」なるものに過大な期待を抱いていた当時の筆者は、あまりにも若かった。

もう一度、くり返すが、時間軸を分析に加える時は、見せかけの相関（「疑似相関」という）にくれぐれも気をつけよう。

リサーチ・デザインとは何か

ここまでが、そもそも「何を知りたいのか」を明確化するための段階であり、ここから、では「どうやって知るか」という段階に入っていく。この、どうやって知りたいことを知るかという計画主体のことを、「リサーチ・デザイン（research design）」と呼ぶ。

リサーチ・デザインは通常、次の①〜⑤の項目を含む。

①時期・回数（Time Frame）
②データ収集方法（Data Collecting Method）
③質問票（Questionnaire）
④サンプル抽出（Sampling）

⑤分析（Analysis）

これらの五項目は別々に進行するわけではない。学生たちにもよく言っていることだが、「知りたいこと」がきちんと出来上がっていれば、リサーチ・デザイン（どうやって知るか）は、予算や時間の制限のもとでほぼ自動的に決まる。あれこれ悩むのは、コンセプトがしっかりと出来ていない場合であることが多い。

では順を追って、なるべく簡潔に説明していきたい。ただし、前もってお断りしておくが、本書はリサーチ・デザインを解説する本ではないので、①から⑤が何を意味するかということに関しては深入りしない。

①時期・回数（Time Frame）

一回のみで行われる調査は、社会科学では「比較文化的（cross cultural）」調査と呼ばれることが多い。ほとんどの場合、複数の文化軸（民族的なものとは限らず、世代、地域、性別など何でもよい）による何らかの比較を目的の一つとするからである。刹那的という意味で「スナップショット（スナップ写真）」調査と呼ばれることもある。

一回のみの調査における有名なバイアスの一つに「シーズナル・バイアス（seasonal bias）」と呼ばれるものがある。例えば過去一カ月の非行行為を尋ねてみると、冬より夏の方が非行の数が多くなる傾向がある。夏に正しかった分析や平均が冬にも当てはまるとは限らないのである。では過去十二カ月（一年間）の経験を尋ねれば解決するかというと、前にも述べたように、人間の記憶には限界があって、よほど重大な出来事でもなければ一年も前のことはあまり覚えていないものである（「メモリー・イフェクト（記憶効果）」と呼ばれる）。

日常生活の身のまわりのことなら、三日で忘れてしまうのが人間である。まさかと思う人は、試しに三日前に食べた晩御飯のメインディッシュ以外のおかずを思い出してみていただきたい。昨日の昼に何を食べたかさえ思い出せない人だって多いはずだ。

このようにシーズナル・バイアスを避けようとすると、今度はメモリー・イフェクトという他のバイアスが浮上してくるわけだが、やっかいなことに、このメモリー・イフェクトというのは単に忘れるだけでなく、新たに作り出されたり大げさになったりもすることがある。

高齢者に昔の恋愛や戦争体験について尋ねると、他の証言から考えて、ありえないほどの大恋愛であったり、九死に一生を得たかのように語られる例があると聞いたことがあるが、このように事が大げさになっていくバイアスは、「ドラマタイジング・イフェクト（dramatizing effect）」と呼ばれる。

一回だけの比較文化的調査における、もう一つのバイアスは、言語に関するものである。例えば日本とアメリカを比較したいと思って、アメリカでの調査の質問を日本語に翻訳して実施した場合を考えてみて欲しい。完全に同じ意味の質問をすることが、いかに難しいことであるかがわかるだろう。

筆者もアメリカでなされた調査を日本でやったことがあるが、例えば「二ドル以下の品物」という言葉をどう処理すればよいのか迷った経験がある。当時のレートで「二百八十六円以下の品物」としたとしても、次の日には変化しているかもしれないし、そもそもそんな半端な数字が質問に適しているとも思えない。

このように、国際比較というのは思うほど簡単ではない。翻訳によって生じる差異のことを「トランスレイション・バイアス（translation bias）」と呼んでいるが、これは同じ国内においても生じうる。例えば東京と大阪では、「アホ」とか「おもしろい」「いじめる」などの意味やニュアンスは必ずしも同じではないからである。一応の翻訳ができるのはまだよい方で、筆者が係わったものには、識字率の低い国における調査さえあったことをつけ加えておく。この場合、翻訳というより、リサーチ・デザイン全般から計画し直す必要がある。

こうした一回だけの調査でなく何回も継続して行われる調査には、「反復調査（longitudinal survey）」と呼ばれるものと、「パネル式（研究）調査（panel study）」と呼ばれるものの二つがある。

反復調査の利点は、シーズナル・バイアスがないことや、時系列の変化を観察できることだが、あくまでも「同じやり方」で定期的に行うことが前提になっている。次ページの図は毎日

小渕内閣の支持率の推移

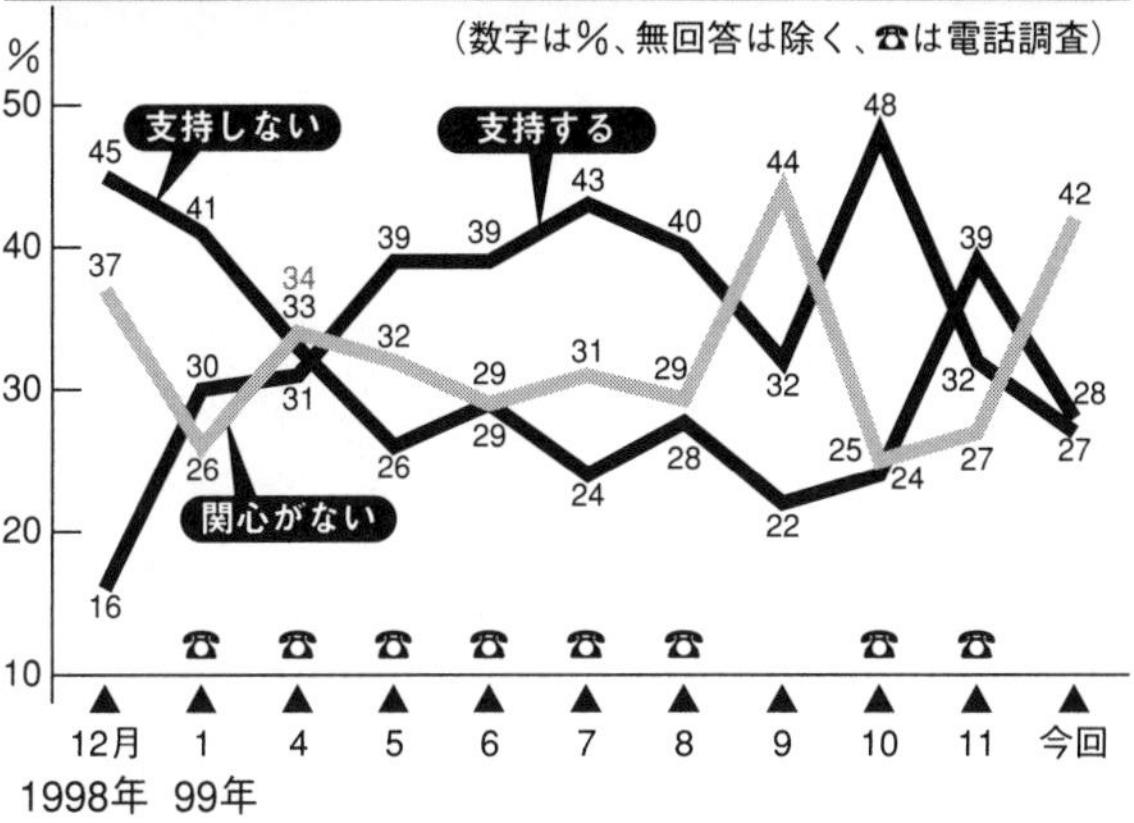

新聞が毎月行っている「内閣支持率」調査であるが、九月と十二月はインタビュー（面接）によるデータ収集、他は電話によるものである（「毎日新聞」一九九九年十二月七日）。

ご覧のとおりインタビューで集めたデータでは、低い内閣支持率と高い無関心率とが観察される。ちなみに他の新聞では、こうした八月から十月にかけての凹凸は観察されていない。見出しに「『無関心』が急増」という文字が見えるが、あまり意味のない見出しである。

もう一つの「パネル式調査」というやり方も継続してくり返される方法だが、反復調査では毎回サンプルを変えるのに対し、こちらの場合は毎回、同じ人々に聞く。パネル式調査の利点としては、回収率がよいことと、個人の属性（年齢、性別、学歴などの個人情報）がすでにわかっているため、質問数を少なくできることなどが挙げられる。

その反面、欠点も多い。パネル式調査の欠点は、同じ質問をくり返し尋ねられることで被質問者（パネルメンバー）に問題意識が生まれ、関連記事がマスコミに出るたびに目を通すことによって新たな思想を持つようになり、次第に世論と距離が生じていくことである。「成熟化（maturation）」と呼ばれるプロセスである。

もう一つの欠点は、当初設定したパネルメンバーが仮に五百人であったとして、三年くらいのうちに二割近くが減少してしまうことである。死亡する人、失踪する人、転居先がわからなくなった人、本人の意思でドロップアウトする人などで、この現象を「パネル劣化（panel decay）」と呼んでいる。

どの年齢層（あるいは他の属性でも）もまんべんなく減少するのであれば問題はないのだが、パネル劣化における一番の問題は、減少する層に偏りが存在する（特に若い年齢層ほど住所不明になることが多い）ことであり、ある特定グループの意見が反映されにくくなってしまうことである。
②データ収集方法（Data Collecting Method）
ひとくちに「データを集める」といっても、次に示すように様々なものがある。

【データ収集方法の分類】
◇観察（observation）……（略）
◇実験（experimentation）……（略）
◇単純収集／内容分析（content analysis）……（略）
◇サーヴェイ（survey）
　◎自記式：訪問・留め置き／郵送／集合・クラス／（ファックス・インターネット）
　◎他記式：電話／インタビュー・面接

このように、データ収集の方法といってもあまりに多岐にわたるため、ここでは「サーヴェイ（survey）」と呼ばれるアンケート形式を中心に説明することにするが、他のデータ収集においても多くのバイアスをあわせ持っていることは言をまたない。

サーヴェイのデータ収集に言及する前に、観察、実験、単純収集（およびサーヴェイ）などに共通する問題として、「測定（measurement）」におけるバイアスについて説明しておく。

(a)「測定」のバイアス

「測る（計る・量る）」ということは、一見、簡単そうに見えるが、実はそれほど簡単ではない。測定は客観的でなければならないが、客観的であるためには、誰がやっても（アルバイトに任せても）同じ結果が出るよう、事前に計測方法が決まっていなくてはならない。主観が入ったものは計測とは言えない。

一つ例を見ていただこう。

【記事Ⅰ】

《「**1万円札減り硬貨増／当たり馬券も交ざる／伏見稲荷でさい銭勘定**」

商売の神様として知られる京都市伏見区の伏見稲荷大社で四日から、初もうで客が入れたさい銭の勘定が始まった。長引く不況のためか一万円札は少なく、千円札や硬貨が目立った。（後略）》（「朝日新聞（夕刊）」一九九五年一月四日。傍点は筆者）

【記事Ⅱ】

《「**3が日総決算／1万円札めだつ神頼み／伏見稲荷さい銭勘定**」

商売の神様として知られる京都市伏見区の伏見稲荷大社で四日朝、正月三が日のさい銭勘定が始まった。一万円札や五千円札も目立ち、「今年こそは景気の回復を」という願いが込められているよう。（後略）》（「産経新聞（夕刊）」一九九五年一月四日。傍点は筆者）

大変よく似た記事だが、内容は百八十度違う。違いが出た主たる原因は、一万円札の数が多いか少ないかを記者の主観に頼ったからであろう、と言いたいところだが、おそらくそれは好意的に過ぎた見方で、真相は予断を持って書いたということであろう。

　朝日新聞は革新系で、現政権の打倒のためなら勇み足も仕方ないという立場であり、逆に産経新聞は保守派で、現政権の存続に追い風を与えようとする立場であることは、多少なりとも世間に通じた大人であれば知っている。うがった見方をすれば、記事は最初から出来ていたのではないか、と思えなくもない。関係者からきちんとしたデータを聞けばいいのだが、うっかり本当のことを聞いてしまい、書きたくないことを書くよりも、いっそ自分で「計測」した方がよいと判断したのかもしれない。

視聴率の落とし穴

　それでは、機械で測れば誰がやっても数字的には同じ結果が出るはずだと思うかもしれないが、その場合、測った結果の数字と「測ろうとしたこと」との間に差異があってはならない。

　例えば視聴率調査では、ビデオリサーチ社などがサンプル家庭に機械を設置し、どの家庭がどの番組を見ているかがわかる仕組みになっている。これによってテレビ局やスポンサーが測りたい（知りたい）ことは、「何人くらいが番組やコマーシャルを見ているか」ということであるが、以下の理由でこの目的が達成されていない可能性がある。
★テレビはついていても、誰も見ていないかもしれない（例えば、特に朝の番組の場合、テレビは時計がわりであることが多い）。
★コマーシャルは見ていないかもしれない（例えば、トイレ・タイムとか、ヴィデオに撮っておいて見るときはスキップする、など）。
★「何人が見ているか」の計測は難しい（テレビの前に何人いるかを計測する機械があることは知っているが、別の部屋にもテレビがあったり、大型犬を一人に数えたりするケースもある）。
また同じ番組でも時間帯によって視聴率が変化する（「水戸黄門」では印籠を出す瞬間が高い）ため、平均視聴率で云々するのもあまり意味がない。例えばあるポーションに十五秒のコマーシャルを六本入れるとして、二本めのコマーシャルは五、六本めに比べてあまり見られていない。なぜなら、トイレや他の用事などで席を立つのはコマーシャル・タイムの始まった瞬間が多く、終わりかけの時は席に戻ってテレビの前にいることが多いからである。してみると視聴率というのは、いくら客観的であっても単に参考の一つにすぎないことがよくわかる。

機械で測りたくても機械が存在しない場合は、なるべく客観性を保持しつつ、それに代わる方法を探すしかない。次ページの地図は阪神・淡路大震災のあとで、気象庁が被害の度合いによって「震度七」の範囲を特定したものである（「産経新聞」一九九五年二月八日）。

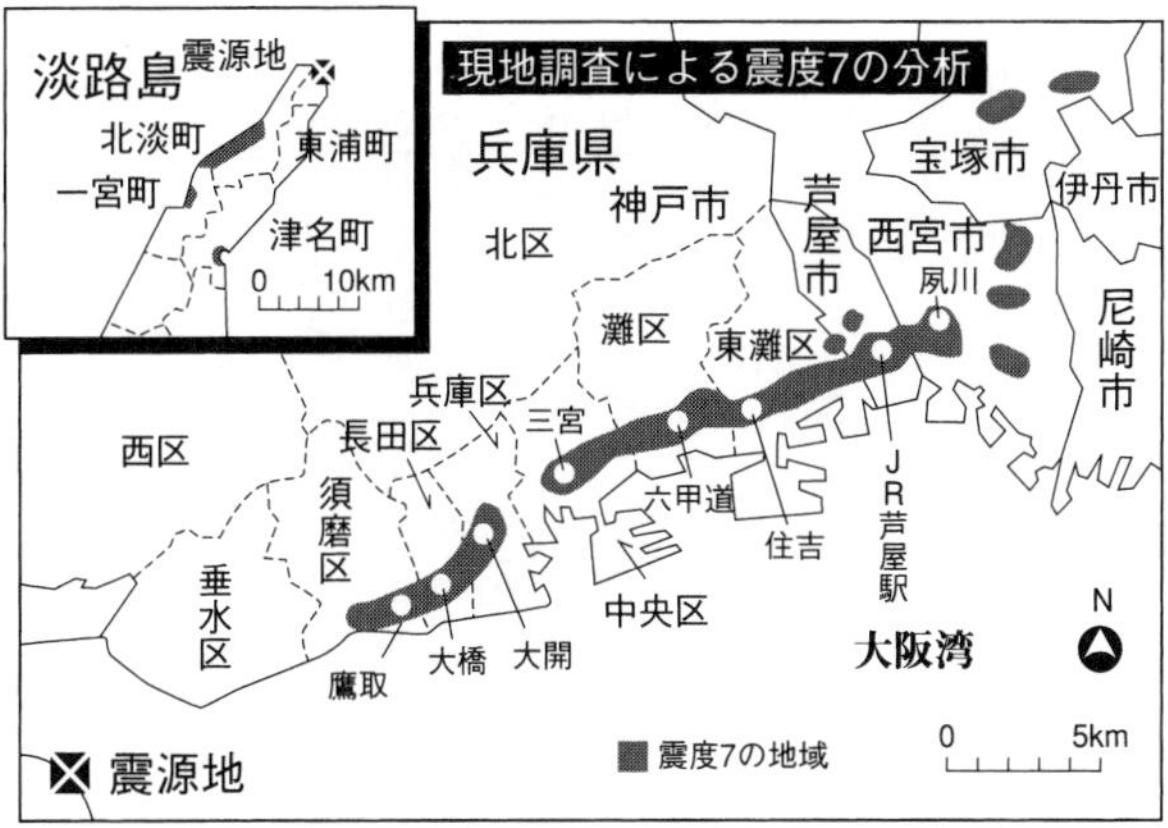

「震度七」の測定基準として、気象庁は「木造家屋の三〇％以上が全壊」という定義を採用した。この定義は納得できるもので、これ以上のものを求めるのは無理なことはわかる。しかし、純粋に計測という観点から考えるといくつか問題点が浮上する。

それは、やはり基本的には人間の目で「木造家屋か否か」「全壊か否か」といった事柄を判断しなくてはならない点で、このような調査をするときは細《こま》細《ごま》とした定義の内容が事前に決められていなくてはならない。それも一人ではなく、複数の目によって判断される必要がある。このことは、人間の判断を計測の一部として使用する場合に、常に気をつけなくてはならないことである。

図を見てもう一つ気づくことは、西宮市や宝塚市に「飛び地」的に震度七の地域が存在することである。少なくともこの中の一つは筆者もよく知っている古い木造家屋（築五十年程度）のならぶT町で、同じ木造でも壊れやすかったというのが真相であろう。一方で、木造家屋がまったくない工場地域なども多く、この種の計測の難しさを物語っている。

のちに東工大の翠川《みどりかわ》三郎教授らのグループによる計測結果が日本建築学会で発表されたが、その計測方法は大変参考になるものだった。「墓石転倒率」を調べたもので、地盤の違いなどによる揺れの状態まできめ細かく示されていた（「日本経済新聞」一九九六年九月十五日）。なるほど、墓石であれば形状もほとんど同じだし、築五十年でも新築でもあまり差異はない。このようなノウハウが積み重なって学問が進歩していくのは歓迎すべきことである。

(b)自記式

自記式のデータ収集では、「訪問・留め置き」「郵送」「集合・クラス」と呼ばれるものが一般的だが、昨今は「ファックス」や「インターネット」を利用したものも使われている。こうしたやり方で生ずるバイアスのうち、有名なものをいくつか紹介する。

まず「郵送」から始めたい。

「郵送」でアンケート調査を送り返してもらう調査は、何より手軽で安くつく（北海道から沖縄まで同一料金で送れる）ため頻繁に利用されているようであるが、郵送でデータ収集することの一番の問題は「回収率が低い」ことで、三割も回収できればよしとされている。しかし、その三割がまんべんなく様々な層の人に分布していれば問題ないが、残りの七割には年齢や学歴レヴェルでかなりの偏りが存在しているはずで、かなり特殊なトピックでもない限り、あまり役に立たない、バイアスのかかったデータである。

回収率を上げるのに有効な方法として、「謝礼を入れる」「返信用封筒を料金受取人払いにせず切手を貼る」「質問を少量（二ページ以内）にする」「なるべく公的な機関名や偉そうな肩書きを使う」といったテクニックがある。「謝礼」は三百円程度のもので十分である。高くて無駄だと思う人もいるかもしれないが、効果を考えればむしろ安いといえる。

また切手を貼った封筒は、「もったいない」という感覚が働くため、ゴミ箱に直行する可能性が低くなる。筆者の実験によると、三百円分の「謝礼」を入れ、切手を貼った返信封筒を使った場合、「謝礼」なしで料金受取人払いの返信封筒を使用した場合に比べ、回収率は三〇ポイントも上昇し、六五パーセントに達した（谷岡一郎「郵便による社会調査の回収率を上げるためのテクニックについて」大阪商業大学論集第95号、一九九三年）。

「訪問・留め置き」法と呼ばれるデータ収集方法の欠点は、手間ヒマ（そして金）がかかることだが、回収率に関しては悪くない。質問量も比較的多くても可能とされている。事前の挨拶文と、フォローを行うことで、七割前後の回収が可能である。バイアスとしては、留守がちの人が若い年齢層に偏っていることや、回収率に地域差が見られること（例えば高級住宅街は回収率が高い）などがあるが、比較的バイアスの少ないデータ収集方法の一つといえる。

自記式の調査にもう一つ「集合・クラス」法と呼ばれるデータ収集方法がある。回答者（サンプル）に集まってもらって答えてもらうやり方だが、特定タイプのサンプルに限った場合（例えば簿記検定試験を受ける人に試験場でアンケートを配る）以外は、人を集めるという考え方はあまり現実的でない。

このやり方がもっとも有効に機能するのは、学校の「クラス」で行う調査で、この場合は学校の許可さえあればほぼ一〇〇パーセントの回収率が得られる。ただし学校間には格差が存在するため、一校のみの調査では不十分で、学校を単位として正しく（ランダムに最低十校程度以上）抽出することが必要となる。これはデータ収集方法の問題ではなく、サンプリングの問題である。

「集合・クラス」法のもう一つの利点は、匿名性（anonymity）が確保できることである。質問によっては、かなり深いレヴェルでプライヴァシーに立ち入ることがある。そのような時に正直に答えてもらうには、いくつかの方法があるが、なんと言っても名前を書かないで済むことが一番である。

自記式の調査では、他に「ファックス」と「インターネット」が使われ始めているが、「インターネット」の場合、コンピュータを使っている人の、そのまた一部分しかサンプリングできないわけで、これではとてもはっきり言って調査の名に値しない。例えば一九九六年三月十一日付の日本経済新聞に「インターネットで首都移転世論調査／経団連」という記事が掲載されていたが、世論調査のネットアドレスも書かれていたとはいえ、経団連はインターネットを使っている人しか世論と考えていないのかと、不信感を抱いた。

「ファックス」の場合にも同じことが言えるが、個人の家庭ではまだ無理にしても、組織体（大学、企業、役所など）であればファックスのないところはないだろうから、例えば文部省による日本全国の大学に対するアンケートのようなものなら可能である。

(c)他記式

回答者が自分で書かず、尋ねる側が質問票に記入するタイプのデータ収集方法を、「他記式」と呼んでいる。他記式で有名なのは「電話」調査と「面接（インタビュー）」調査である。

「電話（telephone）」による調査はかなり昔から行われていて、これについては古典的ともいえる逸話が残っている。「リテラシー・ダイジェスト」誌が一九三六年の大統領選で犯した大失敗である。このとき「リテラシー・ダイジェスト」は十万人もの米国民に、民主党のフランクリン・ルーズヴェルト候補と共和党のアルフ・ランドン候補のどちらに投票するかを電話で尋ね、共和党のランドン圧勝を予測したが、結果はルーズヴェルトの圧勝に終わった。

これは、一九三六年当時、電話のある家庭は比較的所得の高い共和党支持層が多く、民主党支持者は電話を持つ余裕のない層が圧倒的だったことを忘れていたことによる失敗だが、現代社会でいえば、ファックスやインターネットがこれにあたるだろう。ただしこれは電話が原因のバイアスというより、サンプリング（後述）の問題にすぎない。

いずれにせよ、電話調査のサンプリング（どの番号の誰にかけるか）には意外に難しい面がある。よく新聞が世論調査に使う選挙人名簿には電話番号の記載のないケースが多く、また住民票については、社会調査に対し公表していない場合もあるため、対象者を選ぶこと自体、なかなか難しい（日本経済新聞が政権の支持率などを調査するための電話調査は住民票を使ったものだった）。

電話調査と聞いてまず頭に浮かぶのは、電話帳から適当に（ランダムに）選ぶというやり方であるが、これはあまり正確な方法とはいえない。近年は電話帳に登録していない人が多いし、個人名と区別のつかない組織体の番号も少なくないからである。その上、昨今は携帯電話やファックス、インターネットなどの端末の普及が問題をより複雑にしている。

例えば毎日新聞では、一九九〇年代終わり頃からＲＤＤ（Random Digit Dialing）システムという、かつてアメリカでよく行われたやり方で電話調査対象を選んでいる。これはある地域を設定すると、その地域の下四ケタ以外が決まるので（例えば東大阪市にある大阪商業大学周辺であれば０６－６７８１－××××～０６－６７８７－××××の範囲）、その下四ケタを乱数によってランダムにダイヤルし、たまたまつながった家庭に調査協力を求めるやり方である。その際、電話口に出るのは主婦が多いことを考慮して、その家庭の二十歳以上のメンバーのうち、例えば調査当日から最初に誕生日を迎える人を聞き出し、その人を対象者とする方法をとっているが、それでも欠点は多い。

電話調査（RDDであれ、その他の方法であれ）の持つ最大の欠点は、目標とする人間に到達するだけでも大変であることに加え、たとえうまく到達できたとしても、断られる可能性がきわめて高いことである。電話の方が郵送より回収率が高いとは決して言えないのである。

今後は、よほど緊急性が高く、質問数も数問以内でなければ、社会調査で電話を使用する意味はなくなっていくだろう。電話調査は、「正確さ」という社会調査において一番大切なものが、他の方法よりかなり劣るからである。「RDD」などと名前だけはカッコよくても、緊急性のない苦しまぎれの調査に使用するのであれば、調査マインド（リサーチ・リテラシー）は低いと言わざるをえない。

かつてある公的な組織が、犯罪被害の経験を電話調査で行ったことがある。質問の中には性的な犯罪など、かなりプライヴァシーに係わる質問も含まれており、しかも数十問以上という長いものであった。このバイアスの固まりのような結果は、海外の学会で発表された。かくして、またもや日本についての誤った情報が垂れ流されていったのだった。

あくどい誘導的質問

他記式のデータ収集方法には、電話調査以外に「面接（インタビュー）」によるもの（以下「面接法」と表記）があるが、この方法はアンケート調査では、他記式、自記式の区別を越えて優れたデータ収集方法の中心とされている。もっともこれは、いくつかのバイアスが大きな問題とならない限り、というただし書きつきではあるが。

面接法の良い点は、インタビューアー（面接員）を使うため明らかなウソがチェックできることと、記入漏れがなくなるため、より正確で分析に耐えるデータを比較的高いパーセンテイジ（約七〇パーセント）で回収できることである。ところが、インタビューアーを使うことが逆にバイアスとなる場合もある。インタビューアー効果（interviewer effect）と呼ばれるバイアスである。

インタビューアー効果については、アメリカでの実験例がある。黒人、白人それぞれ十名ほどの男性に、同じ程度にまで面接ができるよう訓練を施した上で、様々なターゲットに対し次のような質問をぶつけてみたのである。

「あなたは、それにふさわしいと思われる力量があれば、黒人が大統領に選ばれることに賛成しますか、しませんか」

結果は、黒人のインタビューアーが白人のターゲットにこの質問をした時の方が、白人のインタビューアーが白人に同じ質問をした時に比べ、はるかに肯定的な回答が多かった。

差別的意識を持っているかどうかは別にして、白人が黒人のインタビューアーに対し「賛成しません」と答えるのには、多少の勇気を要するだろう。この「黒人」と「白人」を「女性」と「男性」に置き換え、同じようなインタビューを試みた例もあるが、黒人と白人のケースほどではないにせよ、同じような結果がでている。

このように、面接相手が白人の場合にインタビューアーが黒人か白人かでダイレクトに差が出ることを、インタビューアー効果のうちの「ワンウェイ（one-way）効果」と呼んでいる。しかし面接相手が黒人である場合は、結果はそれほど単純ではない。インタビューアーと面接ターゲットの組み合わせが「黒人＝黒人」の時と「白人＝黒人」の時とでは、それぞれ別の効果が生じるからである。このような「相互の」関係による効果は「相互的（interactional）効果」と呼ばれ、「ワンウェイ効果」と区別されている。

ワンウェイ効果は、さらにいくつかに分けられる。面接員の特定の属性（人種、性別、年齢など）によって回答が変化する「属性的効果（biosocial effect）」、面接員の観察のズレ（相手は「背が高い」「ゆっくりしゃべる」「ハンサム」といった主観的チェック点の違い）を起こす「オブザーバー効果（observer effect）」、相手のあいまいな言葉を勝手に解釈する「解釈者効果（interpreter effect)」、面接員のある種の思想傾向から知らず知らずに一定の回答を誘導してしまう「予想効果（expectancy effect）」、わざと一定の回答に誘導する「目的効果（intentional effect）」などである（参考：W. L. Wallace《Principles of Scientific Sociology》）。

相互的効果も、いくつかに分けられる。性別、人種、年齢などの組み合わせによって回答の変化する「属性的効果（biosocial effect）」、同じく面接員の態度や性格により回答や回答率の変化が起こる「サイコロジカル効果（psychological effect）」、ベテラン面接員であれば思いどおり（仮説どおり）の答を引き出すことが可能な「状況的効果（situational effect）」、面接員が知らないうちに一定の刺激を与える（例えば「原発反対」とか）結果、相手がそれに合わせようとする「モデリング効果（modeling effect）」などである。

ややこしくなってきたのでここで整理すると、次のようになる。

【インタビューアー効果（interviewer effect）まとめ】

I ワンウェイ効果（one-way effect）

・属性的効果（biosocial effect）
・オブザーバー効果（observer effect）
・解釈者効果（interpreter effect）

・予想効果（expectancy effect）
・目的効果（intentional effect）
Ⅱ相互的効果（interactional effect）
・属性的効果（biosocial effect）
・サイコロジカル効果（psychological effect）
・状況的効果（situational effect）
・モデリング効果（modeling effect）

このようなインタビューアー効果を避ける（減少させる）には、なるべく同タイプのインタビューアーを用意するか、インタビューアーを意図的にバラバラにした上で、事前によく訓練することである。インタビューアーには調査の目的や仮説をあえて教えない、などの用心も必要であろう。インタビューアー効果が出ない、もしくは最小限にとどめることができれば、面接法というのは、予算的な欠点は別にして、良い方法だといえる。

データ収集と言ってもいろいろあることがおわかりいただけたと思うが、前にも述べたように、多くの場合、データ収集の方針は自動的に決まる。特に「予算」「目的とする人数」「プライヴェートな質問の有無」「総質問数」「収集に要する期間（時間的切迫性）」「聞く内容の深さ」「目標最低回収率」などを勘案すれば、だいたい一つか二つに絞られる。
言い忘れていたが、これまで説明してきたデータ収集に関するバイアスの中でもっとも怖いのは、人間（アルバイトなど）による手抜き、ごまかしである。「インストゥルメンタル・ディケイ（instrumental decay）」と呼ばれるもので、例えば学生アルバイトが、集めてきたデータに勝手に書き加えたり（「書き忘れ（missing）」のある調査票の空欄を勝手に埋めるなど）することである。アルバイトがこのような不正をしないよう、場合によってはシステマティックな管理体制も必要であろう。二人一組で行かせるのも一つの方法である。

③質問票（Questionnaire）

データ収集方法のバイアスよりさらにバラエティに富んだ（質、量とも）バイアスを、潜在的に持っているのは、リサーチ・デザインの三番めの項目である「質問票（Questionnaire）」であろう。

質問の形態には大きく分けて二つある。一つは「クローズドエンド（closed-end）」と呼ばれるもので、回答者にいくつかの選択肢から選んでもらう質問形態、もう一つは自由に文字や文章を書いてもらう方式のもので、「オープンエンド（open-end）」と呼ばれる。社会調査では圧倒的に前者のクローズドエンドの質問が多いので、ここではクローズドエンドについてのみ説明する。

クローズドエンドの質問には、「多肢選択法」「複数選択法（「制限」もしくは「無制限」）」「順位法」「評定法」「一対比較法」などがあるが、とりあえず最も単純な「多肢選択法」（いくつかの選択肢から一つを選ぶ）の質問を前提にして話を進めたい。

(a)言葉・用語（wording）

「質問はなるべく簡潔で単純なものを目指すべし」というのが調査の基本だが、言わずもがなのこの基本精神を忘れた質問が少なくない。

◆これまでの議論の中で、衆議院の選挙制度についてはいろいろな改革案が出てきました。あなたが最も支持する衆議院の選挙制度はどれですか。次の中から、一つだけあげて下さい。

（数字は％）

・自民党が当初に決めた「単純小選挙区制」	9・4
・自民党内で対案として検討された「小選挙区比例代表並立制」	15・9
・野党統一案の「小選挙区比例代表連用制」	15・2
・社会、公明両党が当初に決めた「小選挙区比例代表併用制」	9・4
・現行の「中選挙区制」	10・4
・その他	0・8

・答えない　38・9

（「読売新聞」一九九三年六月三十日より）

なかなかのものだとは思いませんか。おそらく政治家たちでも、完全には問題点を理解できる人はいないのではなかろうか。この調査では、この前後にも、かなり難解な質問が並んでいるが、とりわけこの質問には四割近くの人が答えていない。

筆者は学生たちに、漢字にするかひらがなにするか迷った時は、ひらがなにしなさい、と教えている。簡単な漢字でも、読めない人もいるからである。このように、読めない字や意味不明な言葉によって生ずるバイアスを「あいまいさ（ambiguity）」と呼んでいる。

不必要に長い質問も、質問として良くないが、ひどいものになると、長いだけでなく、その中で、ある一定の回答を示唆するものまである。このような間違った質問内容を「誘導的質問（loaded question）」と呼んでいる。次は、その誘導的質問の一例である。

◆4月1日、消費税の税率が3％から5％に引き上げられました。高齢化が急速に進む中で、いま消費税の引き上げを行わないと、財政状態がさらに悪化して、次の世代の負担が重くなったり、福祉の財源が不足するなどの影響が出ると言われています。あなたは、今回の消費税の

引き上げを、当然だと思いますか、やむを得ないと思いますか、それとも、納得できないと思いますか。（数字％）

・当然だ　5・4
・やむを得ない　50・7
・納得できない　42・6
・答えない　1・2

（「読売新聞」一九九七年五月二日より）

こういう長ったらしい質問をしてはいけない。しかも、わざわざ「やむを得ない」という日本人が好みそうな（賛成か反対かもはっきりしない）選択肢を用意しておいて、ほかは強い調子の選択肢にしているところを見ると、読売新聞の調査部にはこうしたテクニックをよく知った上で悪用している人間がいるのではと疑いたくなる。こんな調査で「消費税上げ56％が容認」などという大見出しを作った者は、名前を名乗るべきである。

もう一つ、言葉・用語に関する間違いに、「二重質問（double-barrelled question）」と呼ばれるものがある。例えば「肉や魚をスーパーで買いますか」と聞いた場合、肉はスーパーで買うが魚は魚屋で買う（またはその逆）という人は、イエスかノーかでは答えられない。次の例は一九九六年の沖縄県民投票の投票用紙である。

日米地位協定《にちべいちいきょうてい》の見直《みなお》しと／県内《けんない》の米軍基地《べいぐんきち》の整理縮小《せいりしゅくしょう》について／賛成《さんせい》の人は賛成《さんせい》欄《らん》に○を／反対《はんたい》の人は反対欄《はんたいらん》に○を／記入《きにゅう》してください。

賛成《さんせい》	
反対《はんたい》	

〈注意《ちゅうい》〉○のほかは何《なに》も書《か》かないでください。

日米地位協定の見直し及び基地の／整理縮小に関する県民投票

（「日本経済新聞（夕刊）」一九九六年九月三日）

もはや説明の必要はないだろう。質問では二つのことが尋ねられているが、一方には賛成だが、もう一方には反対だという人には答えようがない。

では選択肢を増やしたらどうか、と考えるのは正しい。正しくはあるが、方向を間違ったら結局、同じことになる。

沖縄県では、翌年、名護市で、普天間基地の代替海上ヘリポートに関する市民投票が行われたが、その時の回答肢は、「賛成」（二五六二票）、「環境対策や経済効果が期待できるので賛成」（一一七〇五票）、「反対」（一六二五四票）、「環境対策や経済効果が期待できないので反対」（三八五票）の四通りであった。

一読して、ヘンな選択肢だなと思ったのは筆者だけではあるまい。一番めと二番め（三番めと四番めも）とではどう違うのかという疑問は別にしても、例えば「環境対策は十分でないが経済効果がありそうなので賛成」する人は最初の選択肢（「賛成」）を選ぶことになるのではないか。同じように「環境対策もしくは経済効果はありそうだが反対」という人は「反対」を選ぶことになる。だとすれば、新聞にあるような、二番めを「条件つき賛成」、四番めを「条件つき反対」と呼ぶのは間違っている（単なるイチャモンですので気になさらぬよう）。

このような二重質問が用いられたのは、おそらく基地に反対する知事（大田昌秀）の意志が介入していることと関係があるだろう。この手法は共産主義国ソビエトが、崩壊寸前の一九九一年に行った国民投票で使った手法とよく似ていることを指摘しておきたい。その質問は次のようなものであった。

〈「すべての民族の権利と自由が保障され、平等で主権ある刷新された諸共和国の連邦として、ソビエト社会主義共和国連邦の維持を必要とするか」〉（「読売新聞（夕刊）」一九九一年三月十八日「よみうり寸評」より）

この二重質問どころか何重にもなった質問に「ダー（賛成）」か「ニエット（反対）」で答えるわけだが、これは「よみうり寸評」が指摘しているとおり、ゴルバチョフ大統領は複雑な問題を二者択一の踏み絵にすりかえただけのことである。

(b)選択肢（choice）

次ページおよび、その次のページの棒グラフを見ていただきたい。これは日本で一九九九年に行われたある予備調査で、意識的に選択肢を変えた二種類の質問を設定し、サンプルの半数にランダムに割り当てられた結果である。

予備調査ということもあって、サンプルは代表的な十分な数のものではないが、ある傾向が明らかになっている。まず次ページのグラフに関し、「まあ満足」という選択肢を使用した場合、日本人の多くがこれを選ぶ、ということである。ただ両端に回答が書かれただけのもの(a)票）と比べてみれば、その傾向は歴然であろう。

一七〇ページのグラフは国別の好感度を尋ねたものであるが、プラス5点からマイナス5点

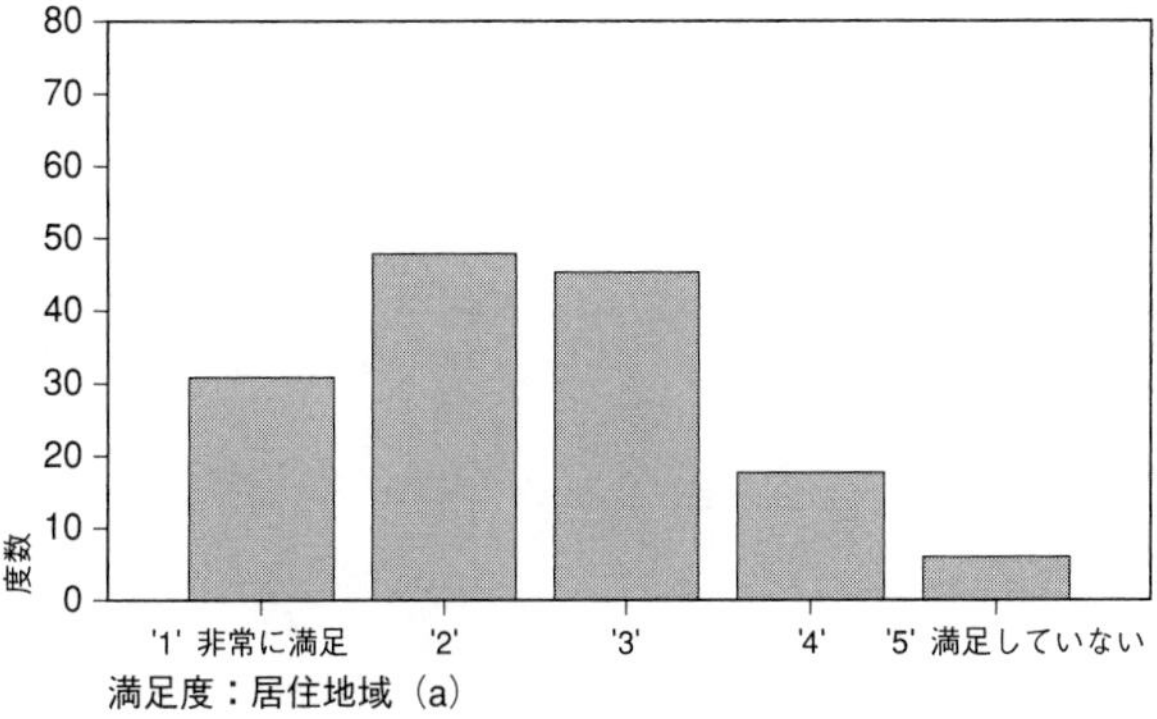

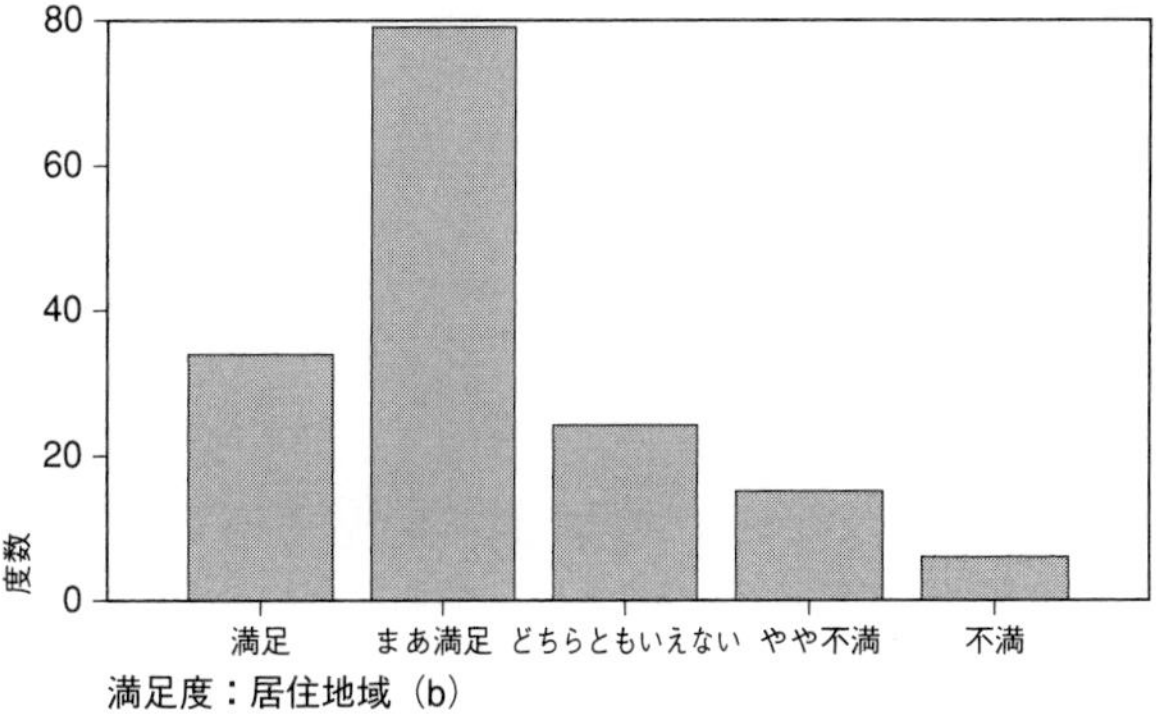

JGSS（Japanese General Social Surveys）の予備調査（1999年2月）で、同旨の質問を２種類用意し、サンプルをランダムに二分して回答してもらった。上の例では両端に「非常に満足」と「満足していない」が表示してあるだけだが、下の例では５段階の選択肢それぞれに「満足」「まあ満足」などと具体的に表示している。そうすると、（特に日本では）「まあ満足」という選択肢を選ぶ人が多い。

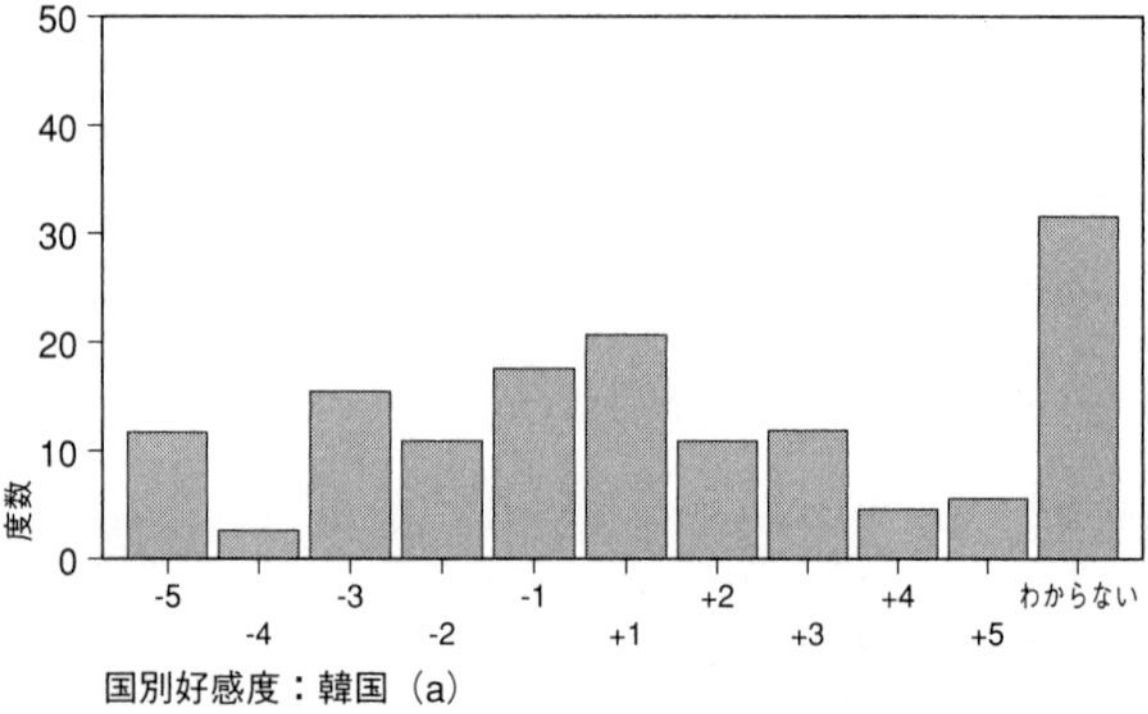

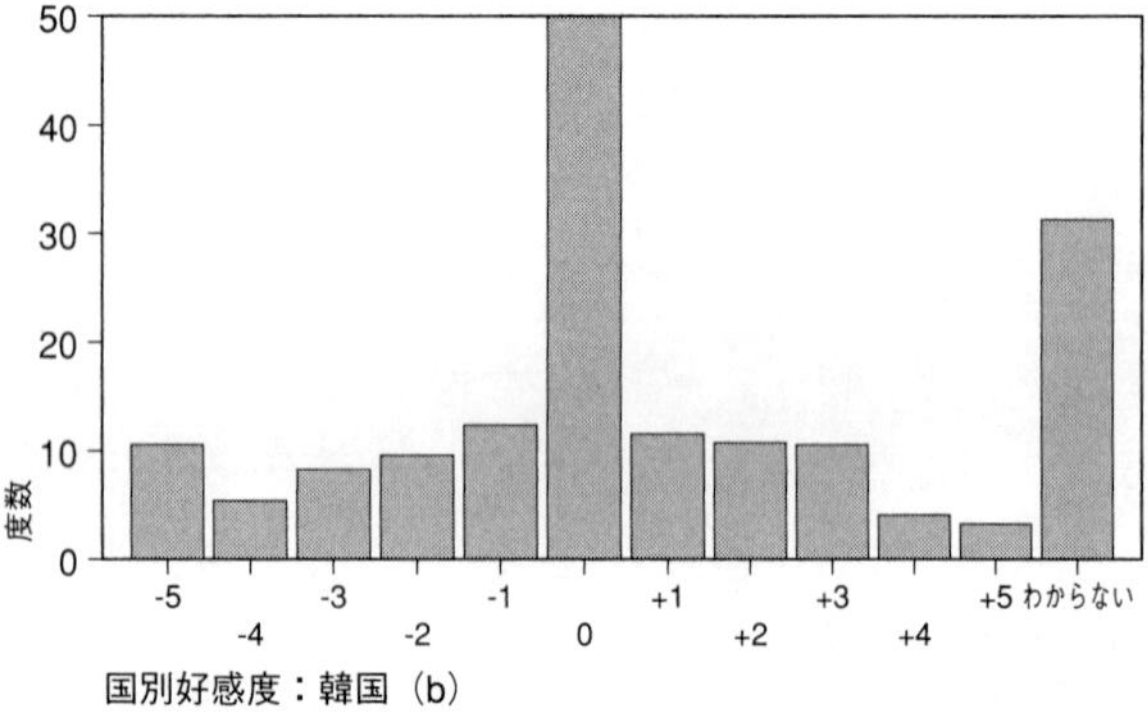

JGSS（Japanese General Social Surveys）の予備調査（1999年2月）で、同旨の質問をランダムに２種類用意して比較したもの。下のグラフには好感度に「ゼロ」が加わっているが、この選択肢があると圧倒的にこれが支持されることがわかる。

のスケールに「ゼロ」のポイントを設けると、圧倒的にその選択肢が選ばれるようになる。べつに「わからない」という選択肢の代用として使われているわけでもないのに、いきなり「ゼロ」が突出するのである。このあたりに、日本人がはっきりと自分の意見を言いたがらないあいまいさが観察されるわけである。

この種の実験には、いろいろなものがあることがわかっているが、ここで紹介できないのが残念である。もっと単純な選択肢でも、文言を少し変えただけで結果が驚くほど異なることは、少し調べればわかることで、例えば次の新聞による質問はすべて橋本内閣の支持率を尋ねたものであるが、選択肢が微妙に異なることに気づくはずである。

◆読売新聞（一九九六年五月二十九日）「あなたは、橋本内閣を支持しますか、支持しませんか」（数字は%、カッコ内は前回調査）

・支持する　52・0（48・4）
・支持しない　33・3（36・0）
・その他　2・4（1・6）
・答えない　12・3（14・0）

◆朝日新聞（一九九六年五月十五日）「あなたは、橋本内閣を支持しますか。支持しませんか」（数字は％。カッコ内は96年2月調査）

・支持する　44（47）
・支持しない　35（33）
・その他・答えない　21（20）

▼日本経済新聞（一九九六年六月二十五日）「橋本内閣を支持しますか、しませんか」（％、カッコ内は前回4月調査）

①支持する　41・5（48・3）
②支持しない　35・0（28・5）
③いえない・わからない　23・5（23・2）

最後の日経新聞の調査は、読売、朝日より一カ月ほど遅く、しかも電話調査のため、参考までに見ていただければよい。さて、それぞれの調査結果を踏まえた、読売新聞と朝日新聞の見出しはいかなるものになったか。

読売新聞の見出しは「内閣支持率52％／住専批判薄らぎ上昇」、朝日新聞は「内閣支持　44％

に回復」であった（朝日のカッコ内の数字は前回の「面接」調査の結果で、その後、三月に行った電話調査の支持率は36％だった。ちなみに、産経新聞が一九九六年五月末に行った調査の支持率は52・7％である）。

読売新聞と朝日新聞のサンプリングその他のリサーチ・デザインを比べてみたが、特に差があるようには見えない。それでは、この支持率の差（8％）はどこから生じたのだろうか。おそらく筆者の知り得ない何か（例えば面接員への指示）が異なっていたものと思われる。

読売新聞では「その他」と「答えない」を別項目に設定しているが、朝日新聞では「その他・答えない」とひとくくりにしている。八パーセントの差は、そのせいではないかとする考え方もあるが、とても論理的に説明がつかない。普通は、ひとくくりにした方が、残りの選択肢の合計が増えるはずだが、この例では逆に減っているからである。

ともかくここでは、同じような質問に見えても社によって微妙に差異があり、他の条件が少し変わるだけで、たとえそれが極めて単純な質問でも、回答率は天と地ほどにも変わるものである、ということを認識していただければよい。

ついでに言っておけば、毎日新聞の調査の選択肢は他社と比較できないほど異なっているため、毎回、低い支持率になっている。「支持する」「支持しない」の二つまでは同じだが、三つめとして「関心がない」があるのが特徴で、これは他社がなんとか「イエス」か「ノー」を答えさせようとしているのに対し、消極的な「イエス」や「ノー」は、積極的な支持や不支持とは別のものと考えているように見える。これはこれで理にかなったものではあるが、「支持率」という言葉の定義を、一度、各新聞社で話し合ってみてはいかがなものか。

サンプリングにおけるバイアス

「選択肢（choice）」のうち「強制的選択（forced choice）」については、序章で説明したのでここでは省略するが、そのほか技術的な問題として、選択肢は「相互に排他的（mutually exclusive）」でなくてはならない、つまり二つ以上の回答があってはならないということと、選択肢は「相互に補完的（mutually exhaustive）」でなければならない、つまり選ぶものが何もないような状況を作ってはならない、の二点がある。

もう一つつけ加えれば、選択肢の数および内容が妥当なものであるかどうかのチェックも必要である（例えば一連の質問を作るに際し、どこを、どういう理由で分割したかが問われる、「カッティング・ポイント（cutting point）」と呼ばれる問題点がある）。

(c) レイアウト（layout）

毎年、ゴールデンウィークが近づくと、憲法に関する社会調査が新聞に載る。近年は、読売新聞が火をつけた「憲法論争」に朝日が対抗する形で参入し、傍で見ているぶんにはなかなかおもしろい。なぜおもしろいかというと、どちらも何とかして自分たちの立場に有利な記事を書こうと苦労しているさまが、透けて見えるからである。

見出しに工夫をこらして情報操作につとめているのは両社とも同じだが、キャリーオーバー効果（第2章参照）を利用（悪用）しているところも似ている。同じ年に実施された両社の質問票を見比べてみよう。

【読売新聞（一九九七年四月六日）】
「『憲法論議を』最高の75％／『矛盾感じる』68％／改正賛成 5年連続多数派」

〈質問票〉（要約）

◆あなたは、いまの日本の憲法のどんな点に関心をもっていますか。次の問題は、すべて憲法に関係するものですが、あなたがとくに関心をもっているものを、いくつでもあげて下さい。（18種類の例示）

◆日ごろの生活の中で、あなたが憲法に関

【朝日新聞（一九九七年四月二十六日）】
「9条『変えぬ方がよい』69％／改憲必要46％、不要39％」

〈質問票〉（要約）

◆あなたは、天皇制について、どうお考えですか。（回答肢4）

◆日本は、世界の国々から信頼されている方だと思いますか。信頼されていない方だと思いますか。（回答肢3）

◆日本は憲法で「戦争を放棄し、軍隊は持

たない」と決めていますが、このように決めたことは、よかったと思いますか。よくなかったと思いますか。（回答肢3）
◆「いまの自衛隊は憲法に違反している」という意見と、「違反ではない」という意見があります。あなたは、どちらの意見に賛成ですか。（回答肢4）
◆これからの自衛隊は、どのような役割に力を入れたらよいと思いますか。（回答カードから1つ選択）（7種類の活動例示）
◆日本が憲法で「戦争放棄」をうたったことは、アジア太平洋地域の平和に役立ってきた、と思いますか。そうは思いませんか。（回答肢3）
◆それでは、憲法の「戦争放棄」の考え方は、これからの世界の平和に役立つと思い

心をもつのは、どのようなときですか。次の中から、あれば、いくつでもあげて下さい。（9種類の例示）
◆憲法が施行されてから、間もなく50年になります。あなたは、全体として、今の憲法が日本の社会で果たしてきた役割を、評価していますか、評価していませんか。（回答肢5）
◆あなたは、今の憲法が戦後の日本の社会に与えたプラス面の影響は、何だと思いますか。次の中から、あれば、いくつでもあげて下さい。（9種類の例示）
◆あなたは、憲法について、政党や有識者などの間で盛んに論議する傾向を、望ましいと思いますか、望ましくないと思いますか。（回答肢3）

ますか。そうは思いませんか。（回答肢3）
◆国際紛争の解決に協力を求められた時、日本はいまの憲法で、十分な役割を果たせると思いますか。それとも、いまの憲法では、十分な役割を果たせない、と思いますか。（回答肢3）
◆「戦争を放棄し、軍隊は持たない」と決めている憲法9条を、変える方がよいと思いますか。変えない方がよいと思いますか。（回答肢3）
◆憲法全体をみて、あなたはいまの憲法を改正する必要があると思いますか。改正する必要はないと思いますか。（回答肢3）
［以下、「改正する必要がある」と答えた人にその理由などの質問が二問。後略］

◆あなたは、今の憲法の規定と、政治や社会の実態との間で、矛盾を感じることがありますか、ありませんか。（回答肢5）
【前問で「大いにある、多少はある」と答えた人だけに】
◆あなたは具体的にどのような点で矛盾を感じますか。次の中から、あれば、いくつでもあげて下さい。（18種類の例示）
◆あなたは、今の憲法を、改正する方がよいと思いますか、改正しない方がよいと思いますか。（回答肢3）
［以下、その理由に関する設問と質問が一問。後略］

両社の質問票を見ると、苦労の跡がありありとうかがえる。特に朝日新聞の質問は、とても憲法全体に関するものとは思えない。双方について、少しコメントしておく。

朝日新聞の質問票には不要な質問が多い。特に六問め七問めの「戦争放棄」がアジアや世界平和に役立ったか否かという質問は、ほとんど「フォーストチョイス」といってよい。二問とも七割以上が肯定的に答えそうな質問で、誘導的ですらある。これらの質問はいずれも最後の三つの質問をターゲットにしたキャリーオーバー効果を狙ったもので、そのためにあえて不要な、しかも似たような質問をくり返したものと思われる。

ところが朝日新聞の意図に反し、「日本はいまの憲法で十分な役割を果たせるか」という質問に「果たせる」と答えた人はわずか二四パーセントで、六割が「果たせない」と答えている。さらには、憲法改正の必要が「ある」という人が「ない」という人を上回っていることからも、日本国民が憲法の見直しは必要と考えているらしいことは間違いない。朝日新聞は潔く負けを認め、いたずらに誤解を与えるような見出しは慎むべきであろう。

一方の読売新聞は、民意を追い風にますます意気盛んだが、質問票のひどさでは朝日新聞といい勝負である。冒頭の数問で問題点の指摘を行った上で、憲法について「論議すべきか」「改正すべきか」という質問を続けるやり方は、キャリーオーバー効果のお手本のようなものである。それでも朝日新聞ほどには、くどくどしい余計な質問がない点や、少なくとも憲法全体についての質問であることなどは評価できる。

一九九九年四月九日の読売新聞の「若い世代が示す憲法意識の変化」と題された社説に、次のような文言がある。

〈例年、この調査では、まず最初に憲法改正について賛成か反対かを聞いた上で、個々の問題について聞いている。〉（傍点は筆者）

そこで一九九九年の調査票も調べてみたが、相変わらず多彩な内容で、最初の四問で様々な問題を提起した挙句に、憲法改正の賛否を尋ねている。どこをどう読んだら「まず最初に」憲法改正について賛否を聞いているなどと言えるのか、さっぱりわからない。

そもそも社説でわざわざこのような断り書きをすること自体が、キャリーオーバー効果を自覚していることを示している。批判をかわすつもりが、かえって墓穴を掘ってしまったわけである。よく反省して、次回こそ本当に「最初に」賛否の質問をぶつけてもらいたい（それでもたぶん、この論争は朝日に勝てますよ）。

レイアウトに関してはキャリーオーバー効果以外にも、「読みやすさ」「わかりやすさ」「答えやすい順番」「書きやすさ」「時間節約の方法」など、技術的なことで述べておきたいことが山ほどあるが、とりあえず先に進むことにする。

④サンプル抽出（Sampling）

アンケート調査をする場合、どんな範囲の人（「母集団」と呼ぶ）から、どのようにして（「抽出方法」と呼ぶ）、何人に（「サンプルサイズ」）尋ねるかを決める必要があるが、この計画のことをサンプリング（抽出）計画と呼んでいる。サンプリングを正しく行うのはわりと難しい作業で、このサンプリングがずさんな社会調査は、結局は学問の発展の邪魔でしかない。それがわかっていない人が、あまりにも多い。

サンプリングにおけるバイアスは、主として次の四つ、もしくはその組み合わせによって起こることが多い。

(1)数が少ない。
(2)母集団がわからない。
(3)比較できないサンプルを使う。
(4)代表的な意見を反映していない。

最初から順に説明していく。

(1)数が少ない

ごく単純な比較や平均値を出すのに、有効回答数が百人に達しない場合は、偶然のゆがみによって結果がかなり左右されることがあるので、十分気をつけねばならない。これについては、ばかばかしい例が山ほどあるが、その中からゴミ中のゴミの例を紹介する。

《「ヤクルトが優勝すると経済成長率低迷？／過去4回の平均2％／今年も1％前後になりそう／さくら証券調査」

ヤクルトの2年ぶりの優勝が秒読みに入ったが、過去のセ・リーグでヤクルトが優勝した年は、他球団が優勝した年に比べて、日本経済の実質成長率が極端に低いことが、さくら証券の調べで明らかになった。（後略）》（「毎日新聞」一九九七年九月二十七日／岩沢武夫署名記事）

あまりにばかばかしくて話にならないが、これは全数調査でも数の足りない例である。記事によると、阪神が優勝した年（一回）と巨人が優勝した年（十回）の実質成長率は四パーセントを超えていたが、広島が優勝した年（六回）は三・六七パーセント、中日が優勝した年（三回）は二・七パーセントで、ヤクルトの優勝した年は最低だったという。

こんな記事を署名入りで書く記者の勇気には感心するが、こんな分析を発表するシンクタンクにはどんな研究員がいるのかと、おせっかいながら心配になる。何しろサンプル数が圧倒的に不足している。不足どころか、これではないに等しい。

もう一つ、見出しだけ紹介するが、週刊朝日にこんな記事が載っていた。

《「武装する少年たち／5人に2人がナイフ・エアガンなど所持!!／本誌独自調査 男子中学生63人」》（「週刊朝日」一九九八年二月二十日号）

記事を読んでみると、二月四日、五日に都内四ヵ所（渋谷、原宿、池袋、亀戸）で聞き取り調査をした結果だという。わずか六十三人の聞き取りだけで結論を出すことの無謀さもさることながら、わざわざ武器を持っていそうな場所に行って、武器を持っていそうな連中に尋ねただけのことであろう。これは、次に挙げる「母集団がわからない」という、もう一つのバイアスとも関係がある。

(2)母集団がわからない

先に引用した男子中学生六十三人は、記事の見出しやトーンからみて、都内に住む男子中学生の（少ないながら）サンプルであるように読める。この場合、母集団は「都内に住む男子中学生」ということになるが、実際の母集団はわからない。あえて言えば、この六十三人の母集団は、「記者が歩いてまわった時間に、渋谷、原宿、池袋、亀戸でたむろしていた中学生のように見えた人々のうち、実際に中学生であった人」とでも記述すべきものであろう。

少なくとも、二月の四日、五日（平日である）にちゃんと学校に通い、クラブ活動をしたり自宅で勉強していた生徒たちは、この母集団に含まれていないわけで、善意に解釈したところで、行き当たりばったり、本当は、わざわざワルそうな中学生を捜し出して「聞き取り」しただけであろうことは、「5人に2人」がナイフだのエアガンだのを持っていたことからも推察できる。こんな記事に四ページも割いたあと、「子どもをキレさせないための10カ条／親と教師必読!!」なんて記事が続いているのだからあきれる。要するに、勝手な思いつきで新たなトレンドを作りだしているだけのことである。

母集団のわからないサンプリングの代表例としては、駅で男女百人ずつをつかまえてアンケートを取ったり（「アクシデンタル（accidental）・サンプリング」という）、不特定の人から意見を送ってもらって集計したり（「応募法」という）するものがある。

レヴェルの低い新聞（例えば、スポーツH紙の読者投票による「**長嶋続投支持75％**」といった記事）や週刊誌（例えば、週刊G誌による「一万一三五二人の『**国民投票**』**を実施!!**／『**日本国憲法は改正すべきでない**』**が過半数**」という記事）が、読者に対してプッシュホンや綴じ込みハガキでアンケートを行うことがあるが、これらのケースの母集団は「特定メディアの読者のうち、わざわざ応募する気になった人々」であって、抽出の範囲はまるでわからない。

もちろん数が少ないのも問題だが、母集団もわからないのに数だけ多いのは、ゴミの量が増えるぶんだけ大きな問題だともいえる。第1章で紹介したハイト・レポートなどもそうだが、数が多いことで主張が正しいかのようにふるまうのは誤りである。一万一三五二人もの「国民投票」をやったつもりの週刊G誌の記事に、次のような文言がある。

〈その結果、最終的な総数は1万1352票となり、通常2000〜3000の回答者数で結果を出す新聞社の世論調査より、はるかに大規模な調査となったのである。〉

もちろん、わかった上でのおちゃらけだろうが、中には騙される人もいるのである。

このような「応募法」の変形に、全体の意見を反映していない、少数によるデモやピケの記事があるが、いわゆる「サイレントマジョリティ(silent majority:あえて意見を表明しない多数派のこと)」の意見が無視されるサンプリングは、まず基本的にゴミである。

例えば、神戸国際空港計画などについての環境アセスメント公聴会で「**反対意見7割超『被災者救済が優先』**」(「読売新聞」一九九六年一月二十九日)といった記事などがそうである。意見を述べた市民五十三人のうち三十九人が反対だったというが、反対派の人が集まってきているのだから当たり前のことで、この数字にはあまり意味がない。どうせならアメリカの陪審員のように、コンピュータでランダムに選んだ市民百人くらいに意見を言わせるべきであろう。

(3)比較できないサンプル

これはサンプリングの問題というよりは、リサーチ・デザイン全般の問題でもあるのだが、比較できないサンプルをもとに、ある文化的な比較分析がなされることがある。例えば東京と大阪で集めたデータを比較する場合、一方が農村地域、一方が工業地域ならば、この比較にはあまり意味がない。こうした例は実際に思っているよりたくさんある。まず一例。

《「いじめ少ない日本人学校／赴任教員が研究会／大阪府教委、経験生かす」

「海外の日本人学校ではいじめが少ない」という派遣教員の声を生かそうと、大阪府教委は八日、赴任経験のある教員を集めて研究会を開き、いじめが起きにくい背景を分析、防止策として学校教育に取り入れていくことを決めた。／府教委がこれまでに派遣した教員は延べ三百十九人に上っている。（中略）／こうした背景から府教委は、子供たちに異なる文化や生活習慣を認める意識が育ち、いじめを生みにくくしていると推測。異質な子を仲間外れにしやすい日本の学校を変える方法を、提案してもらうことにした。》（「読売新聞」一九九五年四月九日）

海外の日本人学校と日本の学校を比べた例であるが、ここまで本書を読まれてきた読者であれば、すでにこの二つを比べることの無意味さに気づかれたことと思う。

当然であるが、海外にある日本人学校に通う日本人と、日本国内の学校に通う日本人とでは、背景が大きく異なっている。比較しても意味のないものを比較しているのである。記事にあるように異文化体験が異質なものを受け入れる原因であったとしても、その前に、海外の日本人学校に通う生徒の親の多くは大企業から派遣されたエリートであり、日本人の平均とはいろいろな面で異なっていることが忘れられているのである。

国際的な比較というのは、背景が違いすぎるため、そもそもからして難しい。例えば、経済企画庁が東京とニューヨークと北京の物価を比較して、コメの値段は何倍だとか、タクシーの初乗り料金はどうだといった記事が新聞に載るが、コメを比較するのであれば、ニューヨークのコメも北京のコメも日本のコメも同じであることが前提になる。タクシーなら、チップのあるなし、乗り心地や空調など、同じではないものを比べていることを認識する必要がある。その上、為替レートも毎日のように変化するわけで、関係者の苦労は大変であろうと思う。

同じことは、時代別の比較（例えば昭和初期と現在のタクシー初乗り料金比較）でもいえる。

⑷代表的な意見を反映していない

サンプリング自体は代表的（representative：人口比に従った比率）であっても、回収率が低すぎるケース、もしくは、ある特徴（意見）を持ったグループが回答を拒否しがちであるという偏りが考えられるケースでは、回収された結果に無視しえないバイアスがかかる。

それでは、どのようなサンプリングであれば、理想的もしくは検証に耐えうるものとされるのであろうか。それは、次の四つの条件を満たしたものである。

★十分な数がある（「十分」であるための数は、検証内容などで変化する）。

★母集団が（一般的に）定義されている。

★回収率が高い（一〇〇パーセントを理想とする。六〇パーセント以下になると、かなりのバイアスが存在すると考えた方がよい）。

★確率標本（probability sampling）である。

最後の確率標本について説明しておくと、次の二つの条件のいずれかを満たすとき、サンプリングは確率標本であるという。

(a)初期条件（選ばれる前）において、母集団のどの一人も同じ確率で選ばれる抽出方法であること。もしくは、

(b)初期条件（選ばれる前）において、母集団のどの一人も最終結果に対し同じ影響を与えることが担保されている抽出方法であること。

(a)は簡単に理解できることだが、(b)は少々わかりづらいかと思う。これは、ある種のグループを重点的に、一定数、サンプリングした時に、あとで「ウェイトを変える」（詳細は略）ことで、人口比によるバイアスのない係数を導き出すようなテクニカルな状況を指す。わかりやすく言えば、母集団を複数に分割して、サブ母集団を作るようなやり方である。

時に、ある特定のグループのみを対象とした調査があるが、その母集団が定義されており、(a)の条件を満たす抽出法によってサンプリングされているなら、問題はない。例えば二つの国を比較する場合、別々のサンプリングであっても、この条件が満たされていれば、抽出法が異

なっても構わない。ただし二つの母集団は別々に定義されていなくてはならない。

仕上げに練習問題をしておこう。次の記事に関して、サンプリングのいくつかの条件のうち、どこがどう悪いかを考えてみて下さい。

《「『12・8知ってる』ゼロ／太平洋戦争開戦の日／ミナミ 10代の50人に聞く／7割『語り継ぐべき』」

「十二月八日は何の日か知っていますか」――真珠湾攻撃から五十八年となる「太平洋戦争開戦の日」を前に、五、六両日、大阪ミナミのアメリカ村で十代の男女五十人に質問してみた。八月十五日の終戦記念日にも同様の質問をしたが、その時は六割が何の日か答えられたのに対し、今回は正解率ゼロ。（以下略。男性十一人、女性四人の「生の声」や、評論家の意見などが紹介されている）》（「朝日新聞」一九九九年十二月八日）

この調査の悪い点は、ほぼ次の四点に集約できる。

・サンプル数が不十分（五十人では少なすぎる）。

・確率標本でない（「アメリカ村」にいる若者は「ミナミ」の若者の代表ではない）。

・母集団がはっきりしない（生の声は十六歳以上のハイティーンばかりであるが、他の十代は？）

・回収率が不明である（何人にアタックしたかも記されていないが、たぶん低い）。

要するに、やってはいけないことを片っ端からやってみたら、こんなふうになりましたという悪しきサンプリングの見本のようなものである。

⑤分析（Analysis）

あれこれ見ていると、新聞その他のメディアにおける「分析」は、平均、クロス集計、相関、などが中心であるように思える。それが悪いわけではないが、こうした分析には、ともすれば表面的な数字のみで判断を下す危険があることは、これまで指摘してきたとおりである。特に一定の思想（偏向）を持ってデータを扱う場合、学者も含めて、かなりゆがんだ結果となることがよくある。

社会科学者の中には、より深い分析を求めて多変量解析と呼ばれる分析を行う者もいるが、トピック立案から仮説作成、リサーチ・デザインに至るまで、すべてのプロセスを正しく把握できていない者が多変量解析を扱うのは、かえって危険でもある。ここでは詳しくは触れないが、分析手法というのは、その理由も含め、事前（a priori）に決定されていなければならないことと、分析のプロセスで生まれてくるバイアスにも多くの種類が存在することだけは、確認しておきたい。

さて、ここまで読んでこられた方なら、もはや「実態を調べるためにアンケート調査でもやってみるか」などと軽々しく口にはなさらないものと思う。それとも、まだミナミのアメリカ村に聞き取りに行きますか。

第5章　リサーチ・リテラシーのすすめ

リサーチ・リテラシー教育の必要性

これほど社会調査が増え、それも玉石混交ということになってくると、それらのリサーチが本物であるかどうかを見極める能力が必要になってくる。本書の主眼はまさにそこにある。つまり「リサーチ・リテラシー（research literacy）」の提唱である。「リテラシー」という語は、いまや流行《はやり》のようで、いまさら使うのも気が引けるが、他にぴったりくる言葉が思いつかないのでお許しいただきたい。

「リテラシー」とは、要するに基本的な「読み書き」能力のことである。例えば「メディア・リテラシー」（マスメディアの記事を見分ける能力）とか「情報リテラシー」（情報機器の概念を認識し使いこなす能力）といったふうに使われる。

なぜリサーチ・リテラシー教育が必要かといえば、人々のリサーチに対する無知につけ込み、ゴミの情報を流す者、それを広める者、それを利用する者たちが、あまりにも多いからである。これらの者に対抗できる能力を持たない限り、今の、そしてこれからの社会では、損ばかり重ねる不幸な人間を生み出すだけである。

現在のコンピュータの処理能力は、とてつもないレヴェルにまで達している。かつては一年以上もかけて計算していたある種の多変量解析も、今では瞬時に処理を終えてしまうばかりか、ご丁寧にも間違いの可能性のある箇所まで教えてくれる。学生時代にこんな機器があったら膨大な時間が節約できたのに、と思う学者は筆者だけではなかろう。しかし、この便利さが落とし穴となることもあるのだ。

逆説的ではあるが、機器の分析能力が便利になればなるほど、それを扱う人間の能力には一定以上のレヴェルの、目的、知識、倫理観、そして哲学が要求されるようになる。確かに今の機器は便利すぎるほど便利で、誰でも簡単に、何でもできてしまう。それだけに、正しい使い方を知らない者に扱わせるのは、小学生にマシンガンを与えるのと同じである。

小学生に与えてもいいのはパチンコか、せいぜい空気銃までで、マシンガンは、正しい目的と知識を持った、しかも武器を使う恐ろしさを十分に学んだ大人以外には使わせるべきではない。ところが小学生並みの頭しかないのに、あるいは知識はあってもきちんとした目的や倫理観を持たないまま、マシンガンにも等しい現代のコンピュータやソフトを弄ぶ輩《やから》が山ほどいるから困るのだ。

このリサーチ・リテラシー教育は、できればコンピュータの本格的な知識と並行して学ぶのが望ましい。ただし、多くの概念には統計学（statistics）という前提が存在するため、中学ないし高校から統計学を教えることが求められる。その場合、統計学の知識は概念的なものでよく、小学生高学年か中学生レヴェルで修得可能なもので十分であろう。ともすれば統計学は退屈で難解なもののような印象があるが、ことさら難しくしているから難しく感じるだけのことで、教え方次第では楽しい学問になりうるはずである。

その上で、高校ないしは大学に、リサーチ・リテラシーを教える何らかのクラス（例えば「社会科学方法論」や「社会調査論」など）を用意すべきであると考える。

情報機器やシステムの進んだ現代では、他人より、より多くの情報を集めることを競っても意味がない。情報など、集めようと思えばいくらでも集められるからである。むしろ今後、必要となるのは、あふれるデータの中から真に必要なものをかぎ分ける能力、いわゆる「セレンディピティ（serendipity）」と呼ばれる能力であろう。このセレンディピティを訓練するにあたっては、まずゴミを仕分けることが効果的である。つまりデータをどう「捨てる」かである。

データや社会調査の情報はだいたい三つに分類される。役に立つ有益なものと、目下のところは役に立たないが将来的に必要となりそうなもの、そして「ゴミ」の三つである。数量的にはこの最後の「ゴミ」が圧倒的に多いが、この「ゴミ」をすぐに捨てることのできる人は、そうでない人より、かなり有利なポジションを占めることになるだろう。この能力がリサーチ・リテラシーのある人とない人の差となる。

もう一度、繰り返すが、今後は情報を得る能力よりも捨てる能力の方が、はるかに重要な素養となってくる。

社会調査を減らすには

それにしても、もう少し社会調査を減らす方法はないものだろうか。

アメリカで採用している方法の一つに、研究者はその所属する機関の許可を得なければ、機関名を名乗っての調査はできない、というものがある。

アメリカでは大学名を冠した調査は、所定の用紙に、その目的、対象、どのように秘密や人権を守るかなどを記して提出し、審査を経なければ許可されない。特にプライヴェートな質問を含む場合には、所定の用紙に加え、大学が訴えられても責任は本人が負うという宣誓書を提出させられることもある。筆者がアメリカで博士論文の準備をしていた時、日本の法務省に日本版の「所定の用紙」について問い合わせたところ、そのようなものはないと言われ、奇異に感じたことがある。

大学に限らず、例えばマスメディアの調査においても、一定の審査機関がある方が望ましい。少なくとも、「アメリカ村」でわずか五十人の若者から聞き取る程度のゴミが減るだけでも、一定の収穫となるだろう。

①データの相互利用

社会調査を減らす方法として最も推奨されるのは、研究者たちが相互にデータを公開し、使いたい人に使わせることである。日本ではなぜこんな当たり前のことすらできないのかというと、前述したように、いくつかの理由がある。

(a)(特に公的機関の場合)統計法によって禁止されている。

(b)プライヴェートな質問の守秘義務が存在する。

(c)(科学研究費など)多額の費用を使って収集したデータを、タダでオープンにするのはもったいない。いやだ。

(d)ライヴァルにより深い分析をされて、新発見をされるのが怖い(自分の仮説も否定されるかもしれない)。

(e)あまりにずさんな方法論を採用しているデータなので、恥ずかしくて見せたくない。

研究者がデータ公開を断る場合、(a)か(b)を理由にするケースがほとんどだが、実をいうと本当の理由は(d)か(e)であることが多い。なぜこんなことになるのかといえば、論文審査の条件として、データの公開が義務づけられていないせいかもしれない。そのため、恥ずかしくて見せられないようなデータを自分勝手に分析して、とんでもない結論を出す学者が少なくない。

筆者も以前、ある研究所に、そこで集めたデータを使わせてくれるようお願いしたことがあるが、「統計法により」の一点張りで拒絶された。その際、宣誓書の提出を条件に学者に公開する道を検討してもらえないかとお願いしたが、それから十年経った現在でも何も変わっていない。税金を使って集めたデータとは、とても思えない扱いである。

②東大のデータ・アーカイブ

その一方で、学者間にこのような悪しき伝統があるようでは日本の社会科学の前進はないと考え、学者や研究所ばかりではなく院生やマスコミにも、一定の条件さえ満たせばデータを公開しますという機関が誕生している。東京大学社会科学研究所附属日本社会研究情報センターによる「データ・アーカイブ (data archive)」である。

まず広く研究者からデータ類一式(質問票、コーディング・プロセス、リサーチ・デザインなど)を寄託してもらい、それをインターネットなどを通じて相互利用できるようにしたものである(「日本経済新聞」一九九八年五月十七日)。誠に好ましい傾向で、東大社会科学研究所に敬意を表したい。

ちなみに海外では、このレヴェルの相互利用は常識以前の話で、こうした機関がない方がむしろヘンである。
③日本版GSS計画
シカゴ大学のNORC（National Opinion Research Center）が一九七二年から整備している社会調査に、「GSS（General Social Surveys）」と呼ばれるものがある。このデータの特徴は次の三点に要約できる。
(a)全米（五十州）の成人人口の代表的サンプルを使用している。当初のサンプル数は約二千人だったが、現在は約四千人。
(b)社会科学分野でよく使用される変数が多数（毎年五百以上、累積で三千以上）含まれているが、そのうちもっとも基本的な属性（年齢、性別など）である百余りの変数は毎年、必ず含まれる。
(c)アメリカ連邦政府の科学研究費助成財団（National Science Foundation）が、その重要性に鑑み、毎年、莫大な金額の使用を認めている。
もちろん、このGSSデータは公開されていて、社会科学系の学部を持つアメリカの大学で、このデータが使えないところはまずないと言っても過言でないほど、研究者のみならず、大学院生や学部生にも広く利用されている。

ＧＳＳデータにはとにかく変数が多いので、社会学者が持っている多くのモデルの検証や予備テストが可能となる。例えば「宗教を信じる度合いによって大統領選に対する投票行動は異なる」というトピックを持っていたとして、「宗教」に関しても「大統領選」に関しても複数の変数（質問項目）が存在し、しかも三十年近くの累積があるため、普通ではできないほど深い分析が可能になる。自分でデータを集めた場合の手間と費用を考えれば、これがいかに有益であるかがおわかりいただけよう。

とはいえ、やはり学者が求める変数は無限で、ＧＳＳデータの変数では不十分なケースはいくらでもある。しかし、そうした場合でも、類似の変数を用いることで、ある程度の下準備的分析はできる。また、ここからが重要なポイントであるが、自分が入れてほしい変数を将来のＧＳＳの五百の変数の中に含めることも不可能ではない。

例えば筆者が行う「血液型」の研究に、別のところから研究費が認められたとする。その研究費の中に、例えば五百万円分のデータ収集費が計上されていたとすると、ＧＳＳに「あなたの血液型は何ですか」という質問を入れるという条件で、そのデータ収集費をＧＳＳに委託する契約を結ぶことも可能である。二重にデータを集める必要がなくなれば、調査費を節約することができるわけで、これは全米の科学研究費助成財団にとっても歓迎すべきことである。早い話が、税金の節約である。

日本にもGSSのようなデータがあれば、社会科学は飛躍的に伸びるに違いない、またそのデータを東大のアーカイブから発信すれば、かなりの労力と費用とを節約できるはずだと考えたグループが、一九九八年、日本版GSS（以下「JGSS」と呼ぶ）計画をスタートさせた。手前みそになるが、これは東大阪市にある大阪商業大学の比較地域研究所と東京大学の社会科学研究所との共同プロジェクトで、「学術フロンティア（一九九九年の予算で始まった卓越した研究拠点に対する補助制度）」の審査を通過して与えられた研究費によるものである。

このプロジェクトはすでに二回の予備調査を終え、それについてのデータも東大のアーカイブで公開されている。これまで日本の科学研究費は二年間以内を原則としたが、この計画は五年間にわたる。五年後のことは今のところ白紙状態だが、このプロジェクトが生み出すデータによって、日本の社会科学はかなりの進歩を遂げるものと期待している（少なくともゴミはかなり減るはずである）。

なお、JGSSについてより詳しく知りたい人は「JGSSオフィス（大阪商業大学内。電話06-6785-6013／FAX 06-6785-6011）」まで問い合わせていただきたい。

あなたのリサーチ・リテラシーをテストする

ここまで読まれてきた方は（あるいはこの章から読み始めた方も）、なんとなく自分にも「リサーチ・リテラシー」がついてきたような気がしているのではないでしょうか。そこで仕上げとして、皆さんのリサーチ・リテラシーをテストするために、問題を三問用意しました。

【問1】御堂筋の迷惑駐車

次の新聞記事をよく読んで、明らかにヘンな点、文章からは判断できないがおかしそうな点、文章からは知りえないがもっと知りたい情報、記事の背後にある事情（類推）などについて考えうる限りのことを列挙せよ。最低三つは書くこと。

《「御堂筋駐車違反6割減／『車輪止め』にまいった」

大阪府警は二十三日、改正道交法の施行で十日から使用を始めた車輪止め装置「クランプ」による駐車違反取り締まり結果をまとめた。指定路線の御堂筋（四・一キロ）で、十日間に車輪止めを取り付けたのは約二百台。その効果で駐車違反は六割以上減少したという。／府警は施行以来、連日、五十人を出して取り締まりを実施。十九日までに反則切符をきった四百三十六台のうち二百六台に車輪止めを装着、悪質な百十四台はレッカー移動した。／府警は施行前の九日と十九日の午後三—四時に同路線での駐車違反台数を調べた結果、九日の四百七十五台が十九日には百六十三台になり、六五・六パーセントも減少していた。取り締まりにあった市民は「これを取り付けられるととても恥ずかしい」「ここまでされたら逃げられん」などと話していたという。／今年一月から四月までの大阪の駐車違反取り締まり件数は約十四万四千件で、昨年同期と比べ三万件近く増加しており、府警では「御堂筋だけでなく、徹底した取り締まりを展開したい」としている。》（「読売新聞」一九九四年五月二十四日）

［解説］

順不同に思いつくまま解答を箇条書きする。

★午後三時から四時までの一時間に限って調べた理由がわからない（他の時間帯を調べるべきである）。

★五月九日と十九日とでは曜日が異なる（イベントなどの行事カレンダーを知りたい）。

★なぜ一定区間（四・一キロ）のみを調べたのか（まわりの小路では違法駐車が増えて困ったかもしれない）。なぜ地域で調べなかったのか。

★五月九日と十九日の天候（気温、風速、晴／雨など）は同じかどうか（例えば一方が晴で一方が雨なら比較にならない）。

★「違法駐車」の数え方は同じだったか。というより取り締まりの警察官の数は同じだったか（「府警は施行以来、連日五十人を出して……」とあるのを見ると、同じでない）。

とまあ、いくつか表面的、方法論的なことが頭に浮かぶはずであるが、もう一ひねりして、次に挙げる項目にも考えが至った人は、なかなかのものです。

★大阪府警には新法施行後に、無理にでも違法駐車の数を減らしたい気持ちがあった。一つは予算を配分してくれた議会への、もう一つは納税者（いつも警察に駐車違反対策を何もしていないと文句を言っている）へのポーズのためである。

★大阪府警は、少なくとも御堂筋で駐車違反をすれば、車輪止め装置をつけて取締まることを広報する必要があった。そのためにも、新聞ネタになるような数字を出す必要があった（つまり新しい法律のことを周知させたかった）。

賭けてもいいが、こんなことで違法駐車が減少するほど、大阪人の駐車マナーはヤワではない。一定の重点区間だけ違法駐車を減らしても、その近辺の路地に迷惑駐車が増えただけで、有料パーキングに切り替えた者はごく少数であったに違いない。おそらく読売も朝日も、大阪府警の発表した数字を単純に記事にしただけのことであろう。

【問2】三大成人病死亡率

次の記事は、毎年、厚生省が五月初め頃に発表していた、各都道府県壮年期十万人あたりのガン、心臓病、脳卒中の死亡率に関するデータおよび記事である。どの新聞も同じ内容であるが、ここでは産経新聞と読売新聞に登場してもらう。

この記事だけではわからない、あなたの知りたい情報や疑問点を、いくつか挙げなさい（最低二つ以上）。

《「男・青森　女・大阪トップ／三大成人病死亡率／全国平均　女性は男性の半分以下」

壮年期（四十歳から六十九歳）のがん、心臓病、脳卒中の三大成人病による人口十万人当たりの死亡率（年齢調整死亡率）が全国で最も高いのは男性は青森県、女性は大阪府であることなどが二日、厚生省が発表した「平成五年度健康マップ」でわかった。／健康マップは保健事業推進の目安とするため、各市町村や都道府県別に健康診断の受診率や成人病の死亡率などのデータをわかりやすく色分けして日本地図の中に示したもの。昭和五十九年から毎年作製されている。今回発表されたのは、主に平成四年度のデータを基に同五年度にまとめられたマップ。

それによると、四年度の男性の三大成人病による十万人当たりの死亡率の全国平均は四六五・三で、都道府県別のトップは青森の五六九・六。以下鳥取（五二二）、大阪（五一九・五）が続いた。最も低かったのは福井（三七五・三）だった。

女性の全国平均の死亡率は二二八・六と男性の半分以下だった。最も高かったのは大阪の二四九・六で、以下埼玉（二四四・五）、愛知（二四二・六）の順。最低は沖縄（一九四・一）だった。／また各市町村が成人病予防のため実施している基本健康診断の受診率の状況を示したマップによると、全国平均の受診率は三三・九パーセントで前年度より〇・八ポイント上昇していた。／受診率が最も高かったのは秋田（五四・二％）で、以下富山（五三％）、群馬（五一・九％）がベスト3。／ワースト3は和歌山（二〇・一％）、広島（二二・一％）、京都（二二・二％）だった。

厚生省では、三大成人病の死亡率に都道府県によって差がでている点について「塩分の摂取量など食生活の趣向や、気候の違いなどが理由として考えられる。また基本健康診断の受診率が高い都道府県ほど、成人病の死亡率が低下する傾向もみられた」と説明している。》（本文「産経新聞」東京版一九九四年五月三日。次ページの地図と表は「読売新聞」一九九四年五月三日）

［解説］

三大成人病の記事と図表については、次のような疑問が考えられる。

★三大成人病のそれぞれの定義は、どの県でも同じであるのか。特にあいまいなのは、日本では死亡に際し、病名よりも直接の死因（例えば「心不全」）が書かれるケースが多く、医者によってもまちまちなことである（〈日本の死亡統計は、「心臓が止まった」という意味の「心不全」

都道府県別の壮年期（40〜69歳）三大成人病年齢調整死亡率

（順位は死亡率の低い順）
人口10万当たり、単位・人

都道府県	男 死亡率	男 順位	女 死亡率	女 順位
北海道	486.9	37	235.5	38
青森	569.6	47	239.1	41
岩手	469.7	31	228.1	29
宮城	463.5	29	219.3	20
秋田	497.2	40	226.8	27
山形	465.1	30	220.7	22
福島	476.3	34	219.0	18
茨城	475.2	33	232.6	35
栃木	493.4	39	242.4	43
群馬	414.4	4	219.0	18
埼玉	445.5	15	244.5	46
千葉	452.0	21	226.2	26
東京	458.0	25	233.7	37
神奈川	441.5	12	231.4	33
新潟	459.6	26	205.5	7
富山	450.2	18	208.8	9
石川	433.5	9	206.7	8
福井	375.3	1	201.4	4
山梨	447.5	16	202.7	6
長野	385.4	2	214.0	12
岐阜	417.9	6	226.0	25
静岡	444.4	13	218.6	17
愛知	453.5	22	242.6	45
三重	406.8	3	213.1	10
滋賀	417.1	5	219.4	21
京都	451.8	20	225.0	23
大阪	519.5	45	249.6	47
兵庫	481.1	36	237.5	40
奈良	448.6	17	227.1	28
和歌山	518.8	44	242.3	42
鳥取	522.0	46	196.9	2
島根	428.1	8	198.8	3
岡山	450.5	19	202.0	5
広島	473.7	32	218.4	16
山口	499.3	41	213.3	11
徳島	457.4	24	231.5	34
香川	440.0	10	228.3	31
愛媛	456.7	23	218.0	14
高知	461.2	27	225.1	24
福岡	515.1	43	233.6	36
佐賀	489.5	38	230.3	32
長崎	511.0	42	242.5	44
熊本	422.7	7	216.9	13
大分	445.4	14	228.1	29
宮崎	479.9	35	218.3	15
鹿児島	461.3	28	236.5	39
沖縄	440.7	11	194.1	1
全国	465.3	—	228.6	—

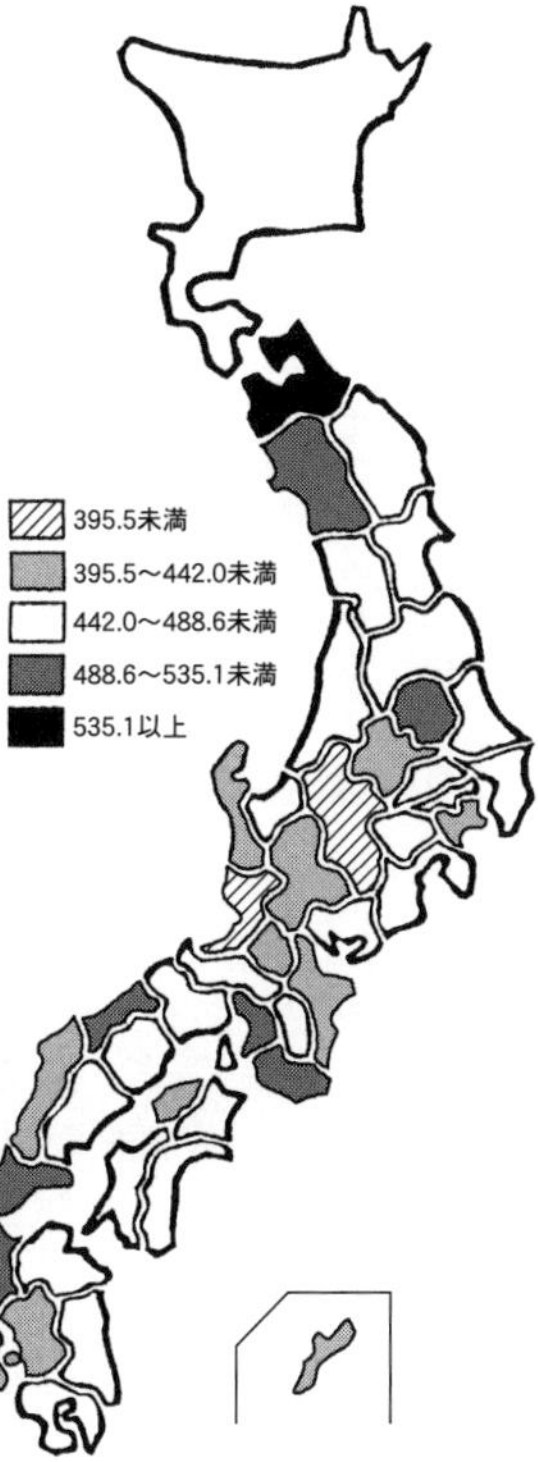

壮年期（40〜69歳）男性の三大成人病死亡率（平成4年）

など、背景の病名を出さない表記が目立ち、各国から「国際比較ができない」と批判が強かった。〉
「朝日新聞」一九九六年十一月十一日)。
★他の原因(自殺、事故、他の病気など)による死亡率も知りたい。
★昭和五十九年からデータを取っているのであれば、この年が例年と比べてどうなのか知りたい。
★食生活での「趣向」や気候などは男も女もさして変わらないはずだが、例えば鳥取(男性は四十六位、女性は二位)や埼玉(男性は十五位、女性は四十六位)のように、男女で傾向が異なるのは何が原因なのか。記事中に解説がないのでわからない。
★亡くなった人たちの、(a)生まれた場所、(b)主に育った場所、(c)多くの時間を過ごした場所、(d)亡くなった場所、のデータが欲しい(次項でその理由の一端を述べる)。
★末期ガンの手術など高度の医療を必要とする時は、都会の大病院に入院したり、治療のため引っ越すケースも多いはずである。そうだとすれば、大阪など都会でガンの死亡率が高い原因の一つは「良い治療施設が存在するから」だとも言える(逆の因果)。
★四十歳から六十九歳までには歳の開きがある。もしある県の寿命が三、四歳高いとすれば、六十五歳から六十九歳くらいまでの死亡率は統計上、かなり異なるはずである。「女性は男性の半分以下」というのも、それで説明できるのではないか。

★厚生省が言うように、「塩分の摂取量など食生活」と関係があるとすれば、東日本よりかなり薄味のはずの大阪府や兵庫県の説明になっていない。
★「基本健康診断の受診率が高い都道府県ほど、成人病の死亡率が低下する傾向もみられた」との説明もあるが、左の図のとおり、傾向がどこに存在するのかよくわからない（数字が大きいほど死亡率は低い）。どんな分析をしたのか教えて欲しい。

受診率		死亡率順位	
		男	女
トップ3	秋田	40	27
	富山	18	9
	群馬	4	18
ワースト3	和歌山	44	42
	広島	32	16
	京都	20	23

★他の変数として、身内におけるガン死亡率や喫煙率など、健康に関する種々の情報を加えて分析してもらいたい。これらのデータにアクセスする権力を持っているのは、あなた方（厚生省）だけなのだから。
筆者は、なんにでも文句をつける「いやな奴」だと思われるかもしれない。当たらずといえども遠からずではあるが、せめて新聞社は、厚生省の作成した健康マップを発表のままに垂れ流すのではなく、もっと皆が知りたい情報を流す努力をしてもらいたい。厚生省も、きちんとした情報を発信して初めて国民の健康に責任ある省庁といえるわけで、ともかくデータをオープンにしてもら

いたい。分析なら、どこの大学でも喜んで引き受けてくれるはずである。

基本健康診断の受診率を上げるためとはいえ、この程度のマップ作成で仕事をしたつもりになってもらっては困る。マスコミも、もっと突っ込んで取材してもらいたい。ちなみに、大阪では「不健康都市」の汚名を返上するため、「健康科学センター」の建設に向けて約二億円が計上されたという。なんとも、めでたい話ではある（「朝日新聞」一九九七年二月六日）。

【問3】「女性が長生きするのは当然」

最後は産経新聞（一九九七年十月二十日）に掲載された、月刊誌「正論」の大島信三編集長の署名記事である。問題は今までと同じく、記事に対する疑問点や批判点を書き出すことである。数に上限は設定しないので、できるだけたくさんコメントしていただきたい。

〈先頃、早稲田大学で「ニュースとは何か」というテーマで話をする機会があった。そのあとの質問で男子学生から、「本題からはずれますけど、新聞記者になるための条件というのは何かありますか」と尋ねられた。

この問いには、「好奇心があれば、それだけで十分でしょう」と答えた。本当は新聞記者になるための条件など何もないと思うが⒜、それでは答えがあまりにも素っ気ない。

好奇心の濃淡は、人それぞれの生き方を決定づける重要な要素だと思う。ひょっとしたら長生きするかどうかは、これで決まるかもしれないⓑ。

現在、日本人の平均寿命は男性七七・〇一歳、女性八三・五九歳である。日本で平均寿命が測定されたのは明治の中期から。ちなみに第一回の記録は男性四二・八歳、女性四四・三歳であった。いま男性のほうが長生きしている国はモルディブ、バングラデシュ、ネパールだけⓒ。なぜ女性のほうが長寿なのか。

一生懸命に働いて、いい加減くたびれてしまうからだと大方の男性は思っている。たしかに過労で倒れる人もいるが、政治家にしろ経済人にしろ芸術家にしろ超多忙人間ほど年を取っても元気がよいⓓ。

そこであれやこれや考えていたのだが、先日の三連休で、女性の長寿はあくなき好奇心と関係があるのではないかと、ひらめいたⓔ。

◇

十月九日、東京のど真ん中、日比谷シティ広場で開催された夜能を見に行った。周辺が官庁街とビジネス街にもかかわらず、観客の七割が女性であったⓕ。

十日、箱根の山で仲間十数人とゴルフ。全員男性で皆、表情が生き生きとしているⓖ。翌日も、あるいは翌々日もゴルフという連中が結構いた。

箱根に一泊して十一日、彫刻の森美術館へ行った。入場者は、目算で六割強が女性かⓗ。久しぶりに「幸せをよぶシンフォニー彫刻」という一八メートルの塔に上った。ミニ展望台にいたのは、たまたまだろうが、全員女性であった(i)。

家に戻って、夜は近くの市民ホールで開かれたシャンソンの寺井一通の歌を聞きに行った。障害者の施設「いんば学舎」を支援するチャリティーコンサート。第二部で、この施設のサポーターで構成する合唱団が舞台に並んだ。男性を真ん中にして両サイドが女性。合唱団の七割を占める女性の声が凛々とホールに響き渡った(j)。

十二日の午前中はゴルフ練習場へ行った。いつもは女性がもっといるのに、たった一人しかいない。ああ、そうか。連休で秋晴れのいい日は、遠出して自然を満喫しているのか、と納得した(k)。

夕方、本屋さんへ寄ったあと喫茶店へ入ったら、八割が女性だった(l)。行楽帰りのご婦人グループがおしゃべりに夢中であった。隣のパチンコ店は逆に八割が男性(m)。

◇

いま男性の、仕事や家族以外の主要な関心はゴルフ・競馬・パチンコのＧＫＰで大方が占められているように思える(n)。

それに比べて女性の皆さんは多彩である。ＧＫＰにもちゃんと興味を示したうえ、展覧会に海外旅行、カルチャーセンターに昼の食べ歩き、古寺巡礼に社交ダンス、ボランティアにフリンなどなど⓪。どうも男性の好奇心は、偏りすぎているように思える。食べ物にかぎらず「偏食」はよくないⓟ。これでは、女性のほうが長生きするのは当然だⓠ。〉

［解説］

この記事についてはコメントしたいことが少なくないため、記事にⓐからⓠまで点線をつけた。ⓐは無視してⓑから順に説明を加えていく。

★ⓑ「ひょっとしたら」と言っておきながら、いつのまにかタイトルのように「当然」に変わる思考過程は、自信あふれる筆者ならではのことだろう。

★ⓒモルディブ、バングラデシュ、ネパールでは男性の方が好奇心旺盛なのだろうか。そこのところをちゃんと理論化する必要があろう。明治時代も女性が長生きだったとのことであるが、明治時代も女性の方が好奇心旺盛だったということか。

★ⓓ「超多忙人間ほど年を取っても元気がよい」可能性のほかにもう一つ考えられる。多分こちらが本当の理由だが、「年を取っても元気がよい人だけが、超多忙な仕事でも何とかこなせる」だけのことで、元気のない人々はすでに引退しているだけではないか。

★ⓔ三日も考えた末にようやく「ひらめいた」とは、なんとものんびりした「ひらめき」だが、それはともかく、単なるひらめきを、あたかも「当然」であるかのように持っていく方法論は（以下に見られるように）強引である。

★ⓕ大島氏が官公庁やビジネス街を男性中心の社会と考えたとしても、そこにも女性はたくさんいる。別に七割が女性であっても不思議ではない。まして日比谷は東京のど真ん中で交通至便、どこからでもアクセスがよい。能が何時から始まるのか文章からは不明だが、観客の男女比は好奇心の多少ではなく、単に余暇時間を自由にやりくりできるか、あるいはフルタイムで働いているかどうかの比率の反映でしかないかもしれない。

★ⓖ「仲間十数人」が「全員男性」というと何か偏ったグループに思えるが、表情が生き生きしているのなら楽しんでいるわけで、大変結構なことである。それより、連休中、彼らの家族は何をしていたかの方が気になる。それとも全員独身なのだろうか。

★ⓗ「目算で六割強が女性」とのことだが、そもそも女性は服装で目立つこともあるので、やはりきちんと数えてみるべきであった。それにしても四割弱が男性ということは百人のうち四十名近くが男性ということで、別に少ないとも思えない。

★ⓘミニ展望台には何人のぼれるのか知りたい。「ミニ展望台」に中年女性が大勢いたら、近づきたくないという男性もいるのではないか。

★ⓙ合唱団の構成は、曲目や演奏形態にもよるが、通常、男性より女性数のほうが多い。

★ⓚ「連休で秋晴れのいい日は、遠出して自然を満喫しているのか、と納得」するのは勝手だが、家で寝ているかもしれない。

★ⓛ喫茶店でおしゃべりしているのが、それほど好奇心を刺激するものなのかよくわからないが、単にヒマなだけのようにも思える。それより、もっと知的好奇心をくすぐるはずの本屋さんに女性がどれくらいいいたかが書かれていないのはなぜだろうか。

★ⓜ「おしゃべり」や「コンサート」は高尚で、「パチンコ」は好奇心のかけらもない趣味だとでも言うのだろうか。

★ⓝ「思える」といいながら、数量的な検証はお寒い限りである。このように「思える」や「かもしれない」「目算」が積み重なった挙句、「当然だ」へと変化していくわけである。どうやらこの人は、男性の趣味の多彩さを知らないらしい。しかしⓓで（例えば芸術家など一つのことに打ち込んできた人は）超多忙でも元気がよいと書いているのが事実だとすれば、ゴルフにしろパチンコにしろ、一つのことに打ち込むことは悪くないはずで、ⓝの文章とは相容れないように思える。それとも、ⓓでいう「政治家にしろ経済人にしろ芸術家にしろ」超多忙なのは、仕事ではなく別のことをするためなのか？　いやそうではなかろう。「たしかに過労で倒れる人もいるが……超多忙人間ほど年を取っても元気がよい」という文脈からして、別のことをするためとは理解しがたい。

★ⓞそもそも自由になる時間にはハンディがありすぎ、女性でも働いている人といない人では差があるので、比較は無意味である。女性をバカにしたような文章だ。「社交ダンス」は女性同士でもできないわけではないが、通常は男性とペアを組む。まして「フリン」はほぼ間違いなく男性が必要で、女性だけが活動していると考える理由にならない。

★ⓟ前段（ⓓ）の記述では、一つのことに打ち込んでいる者は超多忙でも元気がよいはずだが、ここでは「偏食」はよくないという。もし比べるのであれば、「偏食」の男性と「多趣味」の男性を十分な数で比較すべきである。自分のまわりの人間がゴルフばかりしているからといって、一方的に決めつけないでもらいたい。

★ⓠ女性が長生きなのは生物学的なものも含めた複合的な理由からで、むろん好奇心も関係あるかもしれないが、「当然」と結論づけられるようなものではない。「正論」編集長の肩書きでこんな文章を書くのはよろしくない。冗談ならもう少しわかりやすい冗談にすべきである。

★ⓐこの文を読んでつくづくこの部分は当たっていると思う。

というわけで、この記事が犯した間違いをまとめると、次のようなリストになる。

◎「ひらめき」を仮説に結び付ける際に、過去の文献をチェックしていない。

◎仮説に妥当性がなく、逆の因果すら存在する。

◎「好奇心を実行に移す機会」も「長寿」も、「女性」という変数の結果である可能性が高い（スプリアス効果）。

◎ひらめいてから観察したのではなく、三連休の観察でひらめいた（アポステリオリな論理構成＝帰納的、後追い論理）。

◎重要な変数が抜けている（フルタイムで働いているか否か、など）。

◎データ収集方法はバラバラで、まとまりのない経験である。

◎サンプリングはお粗末の極み。

◎分析も強引で記述的。

本書ではこれまで、社会調査において気をつけるべき点について述べてきたが、この記事はそのポイントをきれいにおさらいしてくれたようなものである。探そうと思ってもこれだけの事例に出会うことは、そうそうあるものではない。

さて、あなたはどれくらい列挙することができましたか？　三問とも難なく解答できた人は、一応、リサーチ・リテラシーは合格です。うまく答えられなかった人は、もう少し訓練が必要です。その訓練に役に立つ本を何冊か紹介しておきます。いずれも、あなたのリサーチ・リテラシーを上昇させる良い本ですので、チャレンジしてみてください（順不同）。

★『フルハウス・生命の全容――四割打者の絶滅と進化の逆説』スティーヴン・J・グールド／渡辺政隆訳　早川書房　一九九八年

★『眠れぬ夜のグーゴル』Ａ・Ｋ・デュードニー／田中利幸訳　アスキー　一九九七年
★『記憶は嘘をつく』ジョン・コートル／石山鈴子訳　講談社　一九九七年
★『きわどい科学』マイケル・Ｗ・フリードランダー／田中嘉津夫・久保田裕訳　白揚社　一九九七年
★『考えることの科学――推論の認知心理学への招待』市川伸一　中公新書　一九九七年
★『超常現象の心理学――人はなぜオカルトにひかれるのか』菊池聡　平凡社新書　一九九九年
★『科学とオカルト――際限なき「コントロール願望」のゆくえ』池田清彦　ＰＨＰ新書　一九九八年
★『なぜ人はニセ科学を信じるのか――ＵＦＯ、カルト、心霊、超能力のウソ』マイクル・シャーマー／岡田靖史訳　早川書房　一九九九年
★『社会調査の公開データ――2次分析への招待』佐藤博樹・石田浩・池田謙一編　東京大学出版会　二〇〇〇年

あとがき

私は常々、学生たちに「私に調査企画を指揮させてくれたら、どんな結果でも出して見せる」と豪語している。「どんな結果でも」というのはウソだが、ある程度までなら自信はある。もちろん、実際にはやりはしない。ゴミを増やすだけだからである。その能力はあるが実行はしない。だから、大学教師として学生を指導してよいのだと思っている。

とにかく日本人はよく騙される。ノストラダムス本や占いの類がこれほど売れ、売れたばかりか大真面目に議論までされているのは、恐ろしい限りである。一九九九年七月に何もなかったら、五島勉（ノストラダムスで大儲けした人）は金を返すつもりかいなと考えていたら、朝日新聞（一九九九年六月二十四日夕刊）に五島氏のインタビュー記事が載った。

「いよいよ7月ですね。大王はくるんですか」という質問に「今回は大丈夫というか、回避できるでしょう。（中略）私が本を書いてからの四半世紀で核戦争や環境破壊などの危険に人々が目覚め、当面の危機は避けられそうだということです」などと答えている（ノストラダムスは、人々が危険に目覚めることも予見していたはずじゃなかったの?）。どうやら儲けた金を返すつもりはないらしい。むろん返す必要などありはしない。はっきり言って「こんなもの」に騙される人間が悪いのである。

ノストラダムスもKKC（経済革命倶楽部）のべっ甲メガネのオッサンも、初めから「こんなもの」と言っていいほどニセものの臭いがぷんぷんしている。そんなものに騙されるような人には、残念ながら自分で責任を取ってもらうしかない。しかし、高尚な体裁の社会的に地位の高いもの（例えば大学や大新聞）が騙す場合は、非の多くは騙す側にあると考える。

本書が、主として権威の高い、一般に尊敬されている機関や肩書きの人々を題材にしたのはそのためである。下品な雑誌（エロ週刊誌や女性週刊誌など）や、電車の中で広げるのが恥ずかしいような新聞類は、もともと相手にする気も起こらないので頭から無視した。また大新聞でも、広告や投書欄は対象外とした。

投書欄は玉石混淆で、中には大変面白い文章や鋭い意見もあるのだが、それよりも投書を選択する側の思惑が透けて見えて辟易させられることの方が多い。次に挙げるのは、心斎橋アメリカ村で若者五十人から聞き取り調査をしたところ、十二月八日が何の日か知っていた者はゼロだったという朝日新聞の記事（一八八ページ参照）を読んだ、広島の主婦からの投書である。

〈(前略) 太平洋戦争開戦の日と知っていたのは、大阪・ミナミでゼロ、広島県では約二〇%しかいなかったという。／さっそく、わが家の大学二年生と高校三年生の若者二人にも問うてみた。正解率一〇〇%。どうしてこのような差が出たのか考えてみると、学校教育が原因のような気がする。(後略)〉(「朝日新聞」一九九九年十二月二十日)

これなどは投書した人の問題というより、選ぶ側の問題である。

「谷岡先生は朝日新聞が嫌いなんですね」と尋ねる学生が、毎年、何人かいる。私が授業で朝日新聞の切り抜きをよく使うためと思われるが、実は朝日新聞は私の好きな新聞の一つで、特に社会調査の方法論では、もっとも注意を払っている新聞社の一つだと思っている。他紙に比べ、自信を持って方法論を開示してくれているので、題材にしやすいのである(余談だが、朝日新聞の連載まんが「ののちゃん」のリサーチ・リテラシー・センスはすばらしい。いしいひさいちは社会調査の何たるかを確実に知っている人間の一人である)。

序章でも書いたことだが、権威者たちに対しこれだけ実名で批判した以上、筆者とて論争から逃げるつもりはない。ただ少々忙しい身でもあるので、学問的に実のない議論はなるべくご勘弁いただきたい。水掛け論に終始しそうな場合は、そのやり取りをお互いが納得できるジャッジに判断してもらえるよう、文書でお願いする。また反論される場合は、是非とも反反論の場を与えてくれるようお願いしておく。

本書を書くにあたっては、多くの人のお世話になった。ここでお礼を申し上げたい。

筆者の調査論の師である明治大学政経学部の安藏伸治教授には、企画段階から多くの助言をいただいた（ハーイ、カズコさん、マリエちゃん元気?）。今年で引退するデイビッド・ヘア（D. Heer）教授には調査の助手（R・A）をさせてもらったこと、忘れません。また、多くの切り抜きを用意してくれた岡本さん、見苦しい字を解読してくれた平田・中原・柴田の皆様にも心よりお礼申し上げる。最後にS・捷之助くん、元気になってくれてありがとう。

この本でどれくらいの人が怒ったか、次は聞き取り調査でもやってみましょうかな、と。

二〇〇〇年五月

（付記：本書で引用した新聞記事は主に大阪版を元にしている。なお敬称は略させてもらった）

【主要参考文献】

『The Paradox Box――逆説の思考』マーチン・ガードナー／野崎昭弘監訳「別冊サイエンス26」日本経済新聞社　一九七九年七月五日

『悪魔を思い出す娘たち』ローレンス・ライト／稲生平太郎・吉永進一訳　柏書房　一九九九年

『萬犬虚に吠える――教科書問題の起こりを衝く』渡部昇一　徳間文庫　一九九七年（初出『諸君！』一九八二年十月号〜八三年一月号）

『記憶を書きかえる――多重人格と心のメカニズム』イアン・ハッキング／北沢格訳　早川書房　一九九八年

『「買ってはいけない」は嘘である』日垣隆　文藝春秋　一九九九年

『聖書の暗号』マイケル・ドロズニン／木原武一訳　新潮社　一九九七年

『買ってはいけない』船瀬俊介・三好基晴・渡辺雄二「週刊金曜日」別冊ブックレット　金曜日　一九九九年

『女６５００人の証言――働く女の胸のうち』働くことと性差別を考える三多摩の会編　学陽書房　一九九一年

『消費者物価指数の解説　平成7年基準』総務庁統計局編　日本統計協会　一九九六年

『すぐれた意思決定――判断と選択の心理学』印南一路　中央公論社　一九九七年
『新国民生活指標――ゆたかさをはかる　平成8年版』経済企画庁国民生活局編　大蔵省印刷局　一九九六年
『物価レポート'96――構造改革がもたらす物価の安定と豊かな暮らし』経済企画庁物価局編　経済企画協会　一九九六年
『前兆証言１５１９！　――阪神淡路大震災１９９５年1月17日午前5時46分』弘原海清編著　東京出版　一九九五年
『視聴率の謎にせまる――デジタル放送時代を迎えて』藤平芳紀　ニュートンプレス選書　一九九九年
『記憶は嘘をつく』ジョン・コートル／石山鈴子訳　講談社　一九九七年
《Principles of Scientific Sociology》Wallace, W.L, Aldine Publishing Co., New York, 1983
《School Uniforms, Routine Activities, And The Social Control of Delinquency In Japan》
Tanioka, I. and Glaser, D., 'Youth & Society', Sage Publications, Inc., 1991

谷岡一郎（たにおか　いちろう）

1956年、大阪生まれ。慶應義塾大学法学部卒業後、南カリフォルニア大学行政管理学修士課程修了（MPA）、同大学社会学部博士課程修了（Ph. D.）。専門は犯罪学、ギャンブル社会学、社会調査論。谷岡学園理事長、大阪商業大学学長。著書に『カジノゲーム入門事典』（共著・東京堂出版）、『ギャンブルフィーヴァー』（中公新書）、『ツキの法則』『ラスヴェガス物語』（PHP新書）などがある。海外でも数多くの論文を発表している。

文春新書

110

「社会調査《しゃかいちょうさ》」のウソ
——リサーチ・リテラシーのすすめ

2000年 6 月20日　第 1 刷発行
2025年10月20日　第36刷発行

著　者　谷岡一郎
発行者　前島篤志
発行所　株式会社 文藝春秋

〒102-8008　東京都千代田区紀尾井町3-23
電話（03）3265-1211（代表）

印刷所　理想社
付物印刷　大日本印刷
製本所　大口製本

定価はカバーに表示してあります。
万一、落丁・乱丁の場合は小社製作部宛お送り下さい。
送料小社負担でお取替え致します。

ISBN978-4-16-660110-3

文春新書のロングセラー

磯田道史
磯田道史と日本史を語ろう

日本史を語らせたら当代一！　磯田道史が、半藤一利、阿川佐和子、養老孟司ほか、各界の「達人」を招き、歴史のウラオモテを縦横に語り尽くす

1438

エマニュエル・トッド　大野　舞訳
第三次世界大戦はもう始まっている

ウクライナを武装化してロシアと戦う米国によって、この危機は「世界大戦化」している。各国の思惑と誤算から戦争の帰趨を考える

1367

阿川佐和子
話す力
心をつかむ44のヒント

初対面の時の会話は？　どう場を和ませる？　話題を変えるには？　週刊文春で30年対談連載するアガワが伝授する「話す力」の極意

1435

牧田善二
認知症にならない100まで生きる食事術

認知症になるには20年を要する。つまり、30歳を過ぎたら食事に注意する必要がある。認知症を防ぐ日々の食事のノウハウを詳細に伝授する！

1418

橘　玲
テクノ・リバタリアン
世界を変える唯一の思想

とてつもない富を持つ、とてつもなく賢い人々が蝟集するシリコンバレー。「究極の自由」を求める彼らは世界秩序をどう変えるのか？

1446

文藝春秋刊